LES ÉDITIONS Z'AILÉES
22, rue Ste-Anne C.P. 6033
Ville-Marie (Québec) J9V 2E9
Téléphone : 819-622-1313
Télécopieur : 819-622-1333
www.zailees.com

DIFFUSION ET DISTRIBUTION : MESSAGERIES ADP
2315, rue de la Province
Longueuil (Québec) J4G 1G4
Téléphone : 450-640-1237
Télécopieur : 450-674-6237
www.messageries-adp.com
*filiale du Groupe Sogides inc.,
  filiale du Groupe Livre Québecor Média inc.

Infographie : Impression Design Grafik
Illustrations : Sylvie Gagnon
Texte : Amy Lachapelle
Crédit photo : Mylène Falardeau

Impression : Septembre 2013
Dépôt légal : 2013
Bibliothèque nationale du Québec
Bibliothèque nationale du Canada

ISBN : 978-2-923910-63-5

Imprimé au Canada sur papier recyclé. ♻

Les Éditions Z'ailées remercient la SODEC pour l'aide accordée à
leur programme de publication et reconnaissent l'aide financière du
gouvernement du Canada par l'entremise du Fonds du livre du Canada
(FLC) pour leurs activités d'édition.

Gouvernement du Québec — Programme de crédit d'impôt pour
l'édition de livres — Gestion SODEC

**SODEC** ❖❖
Québec ❖❖

# Entre soeurs

## Tome 1
## Dans la peau d'Alexane

**Amy Lachapelle**

illustré par Sylvie Gagnon

ÉDITIONS
AILÉES

OK... Ce n'est pas tout à fait vrai...
alors je dédie ce livre aux Tchaps.
Notre relation m'a donné un
soupçon d'inspiration...
☺

Je me présente : je m'appelle Alexane et je suis la benjamine de la famille Lafontaine. Le bébé, comme mes sœurs et mes parents disent. C'est très mignon, mais en public, c'est plutôt gênant! Et je vous le dis, être la plus jeune, ce n'est pas toujours facile... même si tout le monde dit que je suis la plus gâtée. Une grande sœur, ça se prend parfois pour votre mère; alors imaginez quand vous en avez deux! Ça fait beaucoup de patrons dans la même maison! Mais détrompez-vous, je les adore mes sœurs. Si elles n'étaient pas là, la vie serait beaucoup plus ennuyante!

# 1. Où tout commence

28 août. Probablement la journée la plus angoissante de ma vie. Ce matin, je fais mon entrée à la polyvalente. Ma meilleure amie Rosyane me rejoindra, et ensuite, on marchera jusqu'à notre nouvelle école. Juste à penser que je vais enfin rejoindre mes sœurs au secondaire, mon cœur a des palpitations.

Devant sa garde-robe bondée, la sélection de sa tenue vestimentaire est un défi ce matin pour Alexane. Elle prend un chandail, le place devant elle, se regarde dans le miroir. En grimaçant, elle le lance sur la pile qui croît sur son petit lit bien fait. Elle choisit une robe, l'enfile et répète le même manège. Rien ne semble lui aller, elle n'arrive pas à se trouver belle en cette première journée. Pourquoi il n'y a pas un uniforme à cette école? Ce serait tellement plus facile!

Sa sœur Maïka entre en coup de vent dans sa chambre.

– As-tu pris mon fer?

– Ah... Bonjour Maïka, j'espère que tu t'es levée du bon pied. Moi aussi je vais bien, merci de le demander, répond Alexane sur un ton ironique.

– Ne me niaise pas, Alex! Il est où, mon fer?

– Sûrement dans la salle de bain, voyons! Ou dans ton bordel de chambre...

– Ne commence pas, la jeune.

Elle ressort aussi vite qu'elle est entrée.

Elle m'énerve quand elle fait ça... Je ne touche jamais à ses affaires; j'ai bien trop peur qu'elle me fasse payer pendant des semaines après. Les affaires de Maïka s'appellent « pas touche », tout le monde le sait dans cette maison! Parfois, elle peut être une vraie bombe à retardement. Un moment, elle sourit, et la minute d'après, elle t'engueule!

Alexane récupère un des vêtements dans la pile et attrape un jean foncé. Elle s'est enfin branchée sur ce qu'elle va porter. Prendre des décisions n'est certainement pas son point fort. Woh! Je ne suis pas si pire que ça, voyons!

Elle se dirige vers la chambre de son aînée, Laurie, au bout du corridor, à l'extrême opposé de la sienne. La porte de Maïka est fermée, montrant que, comme d'habitude, elle veut avoir la paix.

Alexane cogne deux petits coups avant

d'entrer dans la chambre de Laurie. Ce geste est complètement inutile puisque la porte est ouverte et que Laurie l'a vue arriver. J'ai pris cette habitude car toutes les raisons sont bonnes pour mes sœurs pour me tomber dessus!

– Qu'est-ce que tu en dis? Je n'ai pas trop l'air gamine comme ça?

– Mais non! s'empresse de répondre Laurie en s'approchant d'elle.

Laurie la serre fort dans ses bras.

– Tu es tellement belle... Mon bébé qui entre déjà au secondaire...

Alexane déteste se faire appeler « bébé », surtout que tout le monde dans la famille en a pris l'habitude. Mais aujourd'hui, ce petit surnom a quelque chose de rassurant. Laurie continue sur sa lancée :

– Wow! Je suis si fière de toi!

Fière? Elle y va un peu fort, la sœur! Tout le monde passe par le secondaire, ce n'est pas un exploit! Je suis loin d'être sur le point de remporter une médaille d'or aux Jeux olympiques!

– Tu vas voir, ça va bien aller, ajoute Laurie. S'il y a quoi que ce soit, je suis là.

– Merci.

Ce dernier commentaire réconfortant fait sourire Alexane. Elle enlace à son tour sa sœur dans ses bras en se hissant sur le bout de ses orteils puisqu'elle a une vingtaine de centimètres de moins qu'elle.

Les deux sœurs se suivent dans l'escalier pour se rendre à la cuisine. Déjà assis au comptoir-lunch, leur père prend son déjeuner, pendant que Sonia, leur mère, lui tourne le dos pour préparer les boîtes à lunch.

Christian Lafontaine est représentant pour une compagnie. Il passe donc beaucoup de temps sur la route. Lorsque les filles étaient plus jeunes, c'est leur mère qui s'occupait de faire les lunchs, les repas, les commissions... Même si les filles sont maintenant au secondaire, elle continue à s'occuper d'elles de cette façon. Depuis dix ans, elle travaille du côté administratif à l'hôpital de Mont-Lazard.

Maïka apparaît quelques secondes plus tard, de mauvaise humeur. Elle a un sale caractère, celle-là! Tous les matins, c'est la même chose. Elle grogne parce qu'il n'y a pas ce qu'elle veut pour le déjeuner, elle soupire parce que Laurie passe trop de temps dans la salle de bain... et la plupart du temps, elle est en retard. C'est ainsi depuis qu'elle est à l'école secondaire.

Maïka ramasse une pomme au passage, enfile la courroie de son sac en bandoulière – décoré de *tags* de son cru – au niveau de son épaule et ouvre la porte. Sac que je trouve plutôt moche, soit dit en passant. Il ne matche avec rien, son sac! J'aurais pu lui faire quelque chose de beaucoup plus beau. Mais je n'ai même pas le droit de m'approcher de ses affaires, encore moins de cette sacoche sacrée!

– Bye! salue rapidement Maïka.

– Attends, Maïka! intervient sa mère en lui tendant son lunch. Qu'est-ce qui presse comme ça ce matin?

– Je dois rejoindre Vince.

– OK. Bonne première journée, ma coucoune.

– Coucoune... Franchement, mom!

De son côté, Laurie s'assoit au comptoir avec Alexane, voulant la rassurer à tout prix sur cette première journée énervante à la polyvalente. Son côté mère poule ressort souvent avec sa petite sœur. Trop souvent!

– Tu peux même m'accompagner, si tu veux...

– Non, c'est bon. J'y vais avec Rosy. Je devrais être correcte.

Laurie a eu beaucoup de difficulté lors de son entrée au secondaire, quatre ans plus tôt. L'acclimatation n'a pas été facile :

elle était très timide et renfermée, en raison d'une acné qui avait fait éruption comme des pissenlits au printemps et qui l'avait suivie pendant deux ans. Jusqu'à ce que ses parents lui organisent un rendez-vous chez un dermatologue. Au même moment, sa meilleure amie Magalie se faisait harceler par les autres élèves à cause de ses rondeurs. C'est leur amitié qui leur a permis de traverser ces deux pénibles années.

Laurie ne veut surtout pas que sa petite sœur vive les mêmes embûches. Et pourtant, elles sont si différentes qu'il n'y a probablement aucun risque que la même histoire se répète. Alex, contrairement à Laurie, a toujours eu une tonne d'amis et sa façon de combattre sa timidité est d'être un moulin à paroles.

*Ah, Laurie... je vais te le dire quand je vais avoir besoin de toi. Laisse-moi donc m'arranger toute seule un peu. Je devrais être capable de me débrouiller. Si tu y es arrivée et Maïka aussi, je ne vois pas pourquoi ce serait différent pour moi!*

Mais Alexane oublie que Laurie est plus vieille et que son expérience pourrait l'aider. Les conseils de sa grande sœur peuvent être utiles parfois : ils lui éviteraient de faire les mêmes erreurs qu'elle.

Ding! Sauvée par la cloche – ou plutôt par le carillon de l'entrée. Rosyane est à la porte et salue timidement en entrant. Rosyane est l'opposée de son amie. De nature gênée, elle préfère ne pas se faire remarquer. C'est sûrement pour cette raison qu'elle s'entend aussi bien avec Alexane : celle-ci lui sert d'écran protecteur. Alex aime bien prendre le plancher – un peu trop des fois! – et retenir l'attention de tous. *Je ne suis pas si pire que ça, voyons! J'aime m'exprimer. J'ai la parole facile, je l'avoue, mais sans plus!*

Alexane salue ses parents du vestibule, attrape son sac d'école en bandoulière très lourd à porter. Sa mère a insisté pour qu'elle achète un sac à dos afin d'éviter de se blesser, mais Alexane a fait à sa tête : elle voulait absolument avoir un sac qui lui donnerait un *look* de collégienne. Nerveuses, les deux amies se rendent à l'école à pied. En chemin, elles spéculent sur la façon que Kristina sera vêtue et si Julien sera toujours aussi beau. Alexane et Rosyane se demandent combien de nouveaux visages elles verront.

– Sais-tu comment ça se passera aujourd'hui?

– Y paraît qu'on va rencontrer tous nos profs! En tout cas, c'est ce que Laurie m'a dit.

– Ah oui? répond Rosyane, perplexe.

– Un genre de simulation de ce que seront nos cinq ans au secondaire...

– Ah bon! J'espère juste qu'on sera ensemble.

– Moi aussi! As-tu entendu parler du prof de maths?

– Non, pourquoi?

– Maïka m'a dit qu'il est vraiment *weird*...

– *Weird?* Rassure-moi un peu, là!

– Bah, il fait des *jokes* que personne ne comprend...

Après avoir marché pendant une dizaine de minutes, les deux amies arrivent enfin devant l'imposant édifice en brique brune. Elles prennent une longue respiration, se jettent un regard approbateur avant d'entrer dans la cour d'école où plusieurs élèves se trouvent déjà. La tête baissée, Alex et Rosy traversent rapidement la cour et se dirigent directement à l'intérieur, sans même prendre le temps de vérifier si elles connaissent quelqu'un dehors. À leur arrivée dans la cafétéria, les deux amies figent, impressionnées par le bourdonnement qui émane de la salle et par le grand nombre d'élèves déjà arrivés. À la recherche de Kristina, elles s'assoient à la première table inoccupée devant elles.

– Quand est-ce qu'on va avoir nos casiers? murmure Rosyane.

– Je ne sais pas... Je ne me souviens même plus où ils sont...

C'est que l'an dernier, les classes de sixième de leur école primaire sont venues visiter la polyvalente, question d'avoir des points de repère. Mais, les deux filles ont déjà tout oublié. Pour ma défense, je dois dire que j'ai une mémoire de moineau! On est comme ça dans la famille... sauf Laurie, qui semble née avec un ordinateur intégré dans son cerveau.

– *Oh my God!*

Alexane entrevoit sa sœur Maïka, qui embrasse à pleine bouche son *chum*. Ils sont assis par terre, à l'autre bout de la salle. Elle reconnaît sa cadette à ses cheveux deux couleurs et à son blouson noir. En dessous, elle porte un tee-shirt kaki. Qui, soit dit en passant, ne va pas du tout avec son sac multicolore à graffitis ratés! Mais je crois que j'ai déjà donné mon opinion sur son sac!

– OU-A-CHE! Elle fait ça en pleine cafétéria...

– De qui tu parles?

– De Maïka, dit-elle en pointant sa sœur. Elle m'écœure en bazouelle... As-tu vu comme elle embrasse son *chum!* Elle exagère, vraiment!

– Elle est encore avec Vince? Je croyais que tu m'avais dit que c'était fini entre ces deux-là... Il n'avait pas embrassé une autre fille?

Alexane lâche un long soupir, exaspérée par le comportement de sa sœur vis-à-vis Vincent.

– Pénélope? Il paraît que c'est elle qui a essayé d'embrasser Vincent. Ma sœur s'est fâchée contre lui, mais il a trouvé une façon de se faire pardonner, il faut croire. C'est Pénélope qui a payé pour ça... Maïka et elles ne sont plus amies depuis ce temps-là.

– Bizarre! s'exclame Roysane. En tout cas, moi, je n'en veux pas de *chum!* C'est beaucoup trop compliqué, ajoute-t-elle d'un ton décidé. Mon frère est pareil avec sa blonde : ils se laissent, reviennent ensemble, se laissent... C'est ridicule leur affaire! Moi, quand je vais être en amour, ça va être pour de bon. Je ne prendrai pas n'importe quel crétin qui pourrait me larguer à tout moment... Et surtout pas pour ma meilleure amie.

– Je suis bien d'accord. Et les gars sont tous un peu cons. En tout cas, ceux qui étaient dans notre classe l'année passée l'étaient vraiment! Et ils sont tellement bébés...

Un peu plus loin, Alexane aperçoit Laurie assise avec ses amis Frédéric et Magalie. Laurie la remarque et lui envoie la main. Immédiatement, elle bondit de son siège et se dirige vers sa petite sœur. Cette dernière lève les yeux au ciel.

Elle ne va quand même pas venir jouer à la mère avec moi en pleine cafétéria? Pourvu qu'elle ne m'appelle pas « bébé » en plus, sinon je vais mourir de honte!

– Attention, maman numéro 2 arrive... chuchote Alexane à son amie avant que Laurie prenne place à ses côtés.

– Ma petite sœur! Ça va?

– Aussi bien que tantôt à la maison.

– Si tu as besoin de moi, je suis là-bas, dit-elle en montrant du doigt la place qu'elle occupait quelques secondes plus tôt.

– Je sais... Tu es fine, mais je suis une grande fille. Je suis capable de m'arranger toute seule.

Laurie prend sa sœur par les épaules et la serre contre elle.

– Arrête, lance Alexane. J'ai l'air d'un bébé, là...

Insultée, Laurie repart aussitôt.

Alex et Rosy observent tour à tour les autres tables. Elles aperçoivent Kristina en compagnie de Félix, Julien et d'un autre garçon qu'elles ne connaissent pas. Alexane leur fait de grands gestes de la main pour être certaine qu'ils les ont vues. Rosyane semble vouloir se cacher sous la table.

– Qu'est-ce qu'il y a, Rosy?

– Rien, rien.

Étrange. Que s'est-il passé pour qu'elle semble vouloir disparaître sous la table tout à coup? Est-ce à cause de Félix? Mais elle le connaît bien, c'est mon meilleur ami et en plus, il était dans la même classe que nous l'an dernier. Oh! C'est qui, ce gars avec eux?

Comme à son habitude, Alexane oublie rapidement le petit incident, saluant énergiquement ses amis qui viennent de se joindre à Rosy et elle. Cette dernière se tourne vers le nouveau, tout sourire.

– Et toi, tu es qui?

– C'est mon cousin Olivier, dit Félix à sa place. Il était à Notre-Dame avant.

– Salut, moi c'est Alex. Ça va? C'est ta première année ici, toi aussi? Moi, j'étais à Rose-des-vents avec eux. Est-ce que tu restes à Val-Gauthier?

Alexane pourrait être comparée à une tornade. Ce qui est épuisant, parfois... Mais il reste que c'est une énergie contagieuse. Chose certaine, elle ne laisse pas sa place. *Bon! Peut-être que je suis un peu agitée et que j'aime beaucoup m'exprimer, mais je crois qu'on pourrait remplacer « tornade » par « fille dynamique », non?*

– Euh... oui, oui, répond évasivement Olivier en se tournant vers Rosyane. Et toi, c'est quoi ton nom?

– Rosyane... répond-elle à voix basse.

– Tu as choisi quelle option de cours?

Olivier fixe Rosyane, nettement obnubilé par la brunette gênée qui se tient devant lui. De son côté, l'adolescente est plutôt mal à l'aise alors elle se met à fouiller dans son sac, voulant éviter ce regard insistant.

– Alex, as-tu vu mon iPod? demande-t-elle pour faire diversion, sentant que l'attention est trop concentrée sur elle. Je croyais te l'avoir prêté tantôt...

– Non, Rosy. Moi, j'ai pris art dramatique, entre autres, répond-elle à la place de sa meilleure amie.

– Moi aussi, répond fièrement Félix.

La discussion est interrompue par le son de la cloche qui résonne dans l'école. C'est enfin l'heure d'aller en classe. C'est à ce moment que Rosy et Alex apprennent qu'elles sont dans le même groupe, et aussi le petit nouveau, Olivier. Alexane le trouve vraiment *cute*. Woh! Pas tant que ça quand même! Mais je dois avouer qu'il sent très bon...

## 2. Querelle prise un

Deux semaines se sont déjà écoulées depuis le début des cours. Alexane a recommencé ses cours de danse; en plus elle s'est inscrite dans l'équipe de volley-ball avec Rosyane. En semaine, la seule soirée qu'elle peut en profiter pour relaxer avec ses amies est le mercredi. *J'en ai peut-être trop pris! Mais je voulais absolument continuer la danse, et j'avais vraiment envie de jouer au volleyball avec Rosy. Je n'arrivais pas à choisir!*

La seule condition de ses parents pour l'autoriser à faire autant d'activités, c'était que ses résultats scolaires ne soient pas affectés. Et comme ses sœurs réussissent très bien à l'école – même Maïka, qui n'étudie pas beaucoup, maintient une moyenne au-dessus de 80 % –, la pression repose sur les épaules d'Alexane. Elle ne voudrait surtout pas être la déception de la famille; c'est pourquoi elle a l'intention de se pencher assidûment sur ses livres.

À la maison, la routine automnale s'est déjà installée. Depuis que monsieur Lafontaine a accepté un nouveau boulot, il est beaucoup moins présent à la maison. L'atmosphère est très différente; Alexane a l'impression qu'il y a un grand vide dans la demeure. Laurie s'est lancée dans l'organisation du bal des finissants, en plus d'être la vice-présidente du conseil étudiant et de passer beaucoup de temps à étudier avec son meilleur ami Frédéric. Maïka, elle, est toujours avec son *chum*. Ce ne sont pas deux tourtereaux, mais plutôt des aimants. Parfois, la cadette traîne avec Maya ou Adèle, mais le plus souvent, elle se trouve avec Vincent. L'an dernier, elle passait la plupart de son temps avec ses amis, incluant Simon et Pénélope. Mais lorsqu'elle est devenue officiellement en couple, Simon s'est éloigné. Laurie et moi en avons parlé. On pense plutôt que Vincent lui a demandé de choisir entre son amour pour lui et son amitié avec Simon. Ce ne serait pas surprenant, car Vince est si jaloux!

En ce vendredi, c'est congé de sport. Alexane a vraiment le goût de sortir de sa routine, mais aussi de la maison. Son père est revenu la veille à la maison et il y a de la tension entre ses parents. Déjà, au souper, Sonia et Christian ont levé le ton pour des pacotilles. Les filles les sentaient très impatients. On dirait qu'ils ne se sont pas ennuyés l'un de l'autre. Je n'aime pas trop assister à leurs prises de bec. C'est normal que des parents se disputent, mais j'ai l'impression que c'est de plus en plus fréquent. Devant nous, en tout cas.

Alex a donc convaincu ses deux amies d'aller passer la soirée à la maison des jeunes qui s'appelle La Piaule. Situé à côté de l'aréna, cet endroit de prédilection pour les jeunes se trouve dans un petit immeuble qui abrite quelques bureaux.

Une grande salle est réservée à La Piaule.

Secrètement, Alex souhaite croiser Olivier. Elle aimerait avoir la chance de lui parler un peu plus, car à l'école, les occasions de discuter en tête à tête sont rares. Son souhait est exaucé : Félix et Olivier sont à la table de billard lorsque les filles arrivent.

C'est la première fois qu'Alexane et ses amies mettent les pieds dans le local. Laurie a tant parlé de La Piaule à sa petite sœur. Elle n'arrête pas de me dire que c'est l'endroit idéal pour se faire des amis et que l'animatrice est vraiment géniale. Il fallait bien que je vienne voir par moi-même!

Alex étant la moins timide, elle entre dans la salle la première. Les plafonds sont assez bas, et il y a des fauteuils un peu partout. La lumière est tamisée grâce à plusieurs lampes dépareillées posées ici et là dans la grande pièce. Les murs sont colorés, marquant le passage des jeunes des années précédentes. Certaines œuvres sont dignes d'artistes. Les filles reconnaissent des visages familiers qu'elles ont croisés au cours des dernières semaines dans les corridors de l'école. Alexane s'approche de l'animatrice afin de faire connaissance. *Ma sœur Laurie a dit vrai : elle semble vraiment chouette, Caroline.* Après les présentations d'usage, les filles s'assoient sur le canapé près de la table de pool. Après avoir fait discrètement un signe de la main à Félix, les amies parlent de tout et de rien, espérant que les gars viendront les rejoindre sans qu'elles soient obligées de les approcher elles-mêmes.

Du coin de l'œil, Alexane ne peut s'empêcher de regarder Olivier. Ce n'est pas sa faute, elle le trouve si mignon! Et surtout, il est nouveau. *Ça n'a pas rapport, voyons! Félix aussi paraît bien, mais je le connais trop. C'est mon ami depuis si longtemps, je ne peux pas avoir un kick sur lui! Julien aussi pétard, mais d'après moi, il ne veut pas de blonde. À voir la façon qu'il agit,* c'est clair qu'il se fiche des filles! Et les autres gars avec qui j'étais en sixième année sont ringards.

– Alex... Qu'est-ce que t'en penses? demande Rosyane.

– Hein? De quoi? demande distraitement Alexane.

– Tu ne nous écoutais pas pantoute! réplique son amie d'un ton ferme.

– Euh! Excuse-moi... Je pensais à...

Je ne peux quand même pas lui dire que je pensais à Olivier!

– ... à mes parents.

Sauvée! J'ai réussi à faire diversion!

– Tes parents?... Pourquoi?

Zut! Ai-je vraiment le goût de donner des détails sur ce qui se passe à la maison?

– Bah... Ça ne va pas super bien à la maison, ces temps-ci. Depuis que mon père est plus souvent sur la route pour

son travail, mes parents se chicanent...
régulièrement.

– Ne t'en fais pas, la rassure Rosy. L'an passé, quand ma mère a perdu son emploi, j'ai vécu ça. Mes parents s'engueulaient tout le temps, tu te rappelles? Ça a fini par s'arranger.

– Ouin... Mais ça peut faire comme mes parents, et finir en divorce, dit nonchalamment Kristina.

– Tu n'es pas trop encourageante, toi! Je ne crois pas du tout que mes parents sont sur le point de se séparer, voyons! Ils sont seulement plus souvent en désaccord. C'est normal! Ils s'aiment et depuis le temps qu'ils sont ensemble, ce n'est pas à cause de quelques chicanes qu'ils signeront des papiers de divorce! Franchement, tu y vas fort, Kristina Langlois!

– Je... je ne voulais pas dire ça... Désolée...

– Hé, les filles, une petite partie? interrompt Félix au bon moment.

Alexane saute sur l'occasion pour ne plus avoir à penser à ses parents. Aussi elle veut profiter de cet instant pour se rapprocher du nouveau. *Quoi! Je ne veux pas râter ma chance. Un beau gars comme ça ne restera pas célibataire longtemps.*

Kristina s'exclame :

– J'adore jouer au pool!

De son côté, Rosyane secoue la tête.

– Moi, je passe mon tour. Je ne sais même pas jouer.

– On peut te montrer, si tu veux! suggère Olivier.

*Je croise mes doigts pour que mon amie refuse, car sinon, une d'entre nous ne pourra pas jouer. Et connaissant Kristina, ce sera sûrement moi.* Les prières d'Alexane ont été entendues, car Rosyane refuse l'offre d'Olivier, disant qu'elle préfère de loin regarder la partie plutôt que d'y participer.

*Soulagement!*

– Les filles contre les gars? propose Félix.

– Bazouelle! s'écrie Alexane. Ce n'est pas très juste... Je ne suis pas super bonne, ajoute-t-elle, espérant le faire changer d'idée.

– Ce n'est pas un problème, car moi je joue depuis que je suis petite! lance joyeusement Kristina.

*Merci de ton aide, Kristina.* Vraiment, ce n'était pas le genre d'intervention que souhaitait Alexane. Ce commentaire ne fait qu'augmenter la compétitivité des gars, au grand dam d'Alex qui se mordille la joue, cherchant une nouvelle tactique.

– Et puis, comment trouves-tu la poly? s'enquiert Alex pendant que son amie débute le jeu.

– C'est correct, répond Olivier. Il y a pas mal plus d'élèves que dans mon ancienne école.

– C'est la même chose pour moi. Je suis contente de rencontrer du nouveau monde. Est-ce que les entraînements de hockey ont recommencé?

– Ouais...

S'ensuit un court silence pendant lequel Olivier entre la première boule.

– Vous pourriez venir voir notre première partie, dit-il en se tournant vers Rosyane, lui démontrant ainsi que l'invitation s'adresse également à elle.

Il est tellement gentil qu'il inclut Rosy dans la conversation afin qu'elle ne se sente pas à part. Trop chouette!

– Pourquoi pas! fait Rosy. C'est quand?

– Depuis quand aimes-tu le hockey, toi? intervient Kristina.

C'est vrai que mon amie n'est pas tellement une *fan* de ce sport, mais quelques fois, elle s'est jointe à moi et mon père pour regarder un match le samedi soir à la télévision. Je prends donc la défense de mon amie, car je sais que Tina est parfois un peu chiante avec elle.

– C'est mieux à l'aréna, hein, Rosy? L'ambiance n'est tellement pas la même! On va sûrement y aller. C'est quand la prochaine partie, Olivier?

– Le week-end prochain.

Alex frôle Olivier en allant se placer au bout de la table pour jouer. Un long frisson lui parcourt le dos. Elle jette un regard électrisant à Oli.

Vers neuf heures, après plusieurs parties de billard, l'animatrice annonce que le local fermera bientôt. *Déjà neuf heures? Mon couvre-feu! Mon père va m'engueuler si jamais j'arrive trop tard!*

– Je dois partir, les filles. Mes parents m'ont demandé de rentrer tôt. Ciao!

Quittant à la course, Alexane se dépêche de rentrer, sans même attendre ses amies. Dehors, il fait noir; le soleil s'est déjà caché derrière l'horizon. Elle parcourt rapidement les quelques rues qui séparent sa demeure de la maison des jeunes. En ouvrant la porte, Alex réalise que ce n'est pas son père frustré de son retard qui l'accueille, mais plutôt un calme inquiétant.

– Maman? Papa? Il y a quelqu'un?

Seul le vrombissement léger du frigo lui répond. Elle descend à sa chambre pour déposer ses affaires et s'installe avec son carnet. Après la magnifique soirée qu'elle vient de passer, l'inspiration lui vient et elle a le goût d'ajouter un poème à la série qu'elle a déjà écrite au cours de l'été. À la fin de son poème, elle explique en quelques phrases d'où vient son inspiration. Elle ajoute des images, des dessins aussi. C'est un peu comme un journal intime, mais réalisé de façon plus artistique. Alors qu'elle griffonne un *I love Olivier* tout au bas de la page, Laurie cogne à sa porte.

– Oui?

– Je peux entrer?

Après que sa petite sœur a acquiescé par un signe de la tête, Laurie s'assoit devant elle, sérieuse. Trop sérieuse... Je trouve ça franchement inquiétant. Malgré que ma sœur a tendance à la jouer dramatique la plupart du temps, même quand rien ne le justifie.

– Les parents se sont encore chicanés, annonce-t-elle d'un air grave.

– Où sont-ils, là?

C'est la seule question qui passe par la

tête d'Alexane. Elle frotte nerveusement ses mains l'une contre l'autre en attendant la réponse.

– Maman est partie prendre un café avec Manon. Papa, je ne sais pas.

– C'était si pire que ça?

– Je ne sais pas trop. Je n'ai pas voulu entendre la conversation. Mais ils criaient. Ils ne crient jamais d'habitude. J'étais seule dans ma chambre, Maïka est partie chez Adèle.

Le regard de Laurie est sévère. Les larmes montent aux yeux d'Alexane.

– Tina a dit que c'était comme ça avant que ses parents divorcent... Est-ce que nos parents vont se séparer?

Laurie passe son bras autour du cou de sa petite sœur. Alexane s'appuie contre son épaule, cherchant du réconfort. Elle fixe le mur devant elle; celui-ci est décoré d'une tonne de *posters* qui cachent la peinture de couleur rose imposée par sa mère.

– Ne t'en fais pas. Les choses vont s'arranger, tente de la rassurer Laurie. Les parents s'aiment. C'est seulement l'ajustement avec le travail de papa qui est difficile. T'inquiète. Tout va s'arranger, répète-t-elle.

*J'espère qu'elle dit vrai, car en ce moment, j'ai de la misère à y croire.*

Les deux sœurs restent collées pendant un instant, jusqu'au moment où elles entendent la porte d'entrée se refermer. Laurie étire le cou, mais l'escalier qui mène à l'étage reste invisible, et, par le fait même, le vestibule aussi. Elle fait quelques pas dans le corridor. Elle aperçoit alors sa sœur qui range son manteau dans le placard.

– Maïka, on est en bas, dans la chambre de la jeune.

Quelques secondes plus tard, la cadette se tient dans le cadre de la porte, l'épaule appuyée contre le cadrage, les bras croisés.

– Qu'est-ce qui se passe?

– Les... tente de dire Alexane, mais elle se tait immédiatement, étouffée par un sanglot.

Maïka s'avance vers la benjamine et pose une main sur son épaule.

– Ça ne va pas, la petite?

– Les parents, ç'a brassé ce soir, répond Laurie à sa place.

– C'était si pire que que ça? interroge Maïka en s'assoyant sur le lit, à côté de ses sœurs.

– Assez pour que les deux partent chacun de leur côté. Personne n'est rentré encore.

La plus jeune, des larmes roulant sur

ses joues, fixe le chien Philémon couché sur le tapis à côté de son lit.

– Ouf! Ça va aller, Alex?

– Oui, oui... j'ai juste peur que... papa parte.

– Ça n'arrivera pas, il aime maman. Regarde nous trois! On se tape souvent sur les nerfs, mais on s'aime plus que tout!

– Ouin, vu de même...

– OK! On ne pense plus à ça. Allez, on va écouter un film, toutes les trois! propose Maïka qui n'aime pas que les moments émotifs s'éternisent.

Cette proposition ravit ses sœurs. Il y a si longtemps qu'elles n'ont pas passé du temps en leur seule compagnie. Alexane essuie les larmes sur ses joues pendant que Laurie lui passe une main amicale dans le dos. Maïka tire par la main ses deux sœurs en dehors de la chambre. Alexane se dépêche de monter à la cuisine pour préparer un gigantesque bol de *pop-corn* pendant que Laurie et Maïka cherchent un bon film à écouter. Aussitôt la plus jeune revenue, Laurie demande :

– Une comédie romantique, ça vous va?

– Y a-t-il un beau gars?

– Oui!

– C'est parfait alors! répondent en chœur les deux plus jeunes.

# 3. À chacun ses problèmes

– S'il te plaît, mom!

– Non. Et je ne changerai pas d'avis. Pas avant que tu aies un boulot.

– Ah! Tout le monde en a un. Moi aussi, j'ai le droit! Pourquoi Laurie peut en avoir un et pas moi?

– Je viens de te le dire! Laurie travaille. Et fort en plus.

– Ouin, mais tu ne veux même pas que je travaille! Tu n'arrêtes pas de dire que je suis trop jeune. Ça ne fait aucun sens! Je n'ai même pas le droit avant mes quatorze ans!

Écrasée sur le canapé, Maïka tourne la

tête et intervient.

– C'est tellement con. Ce n'est pas parce que tout le monde en a un que tu dois en avoir un. Si tout le monde se lance en bas du pont, tu vas le faire aussi?

Alexane lui fait une grimace, agacée que sa sœur ne prenne pas son parti.

– On sait bien, toi, madame l'anarchiste, tu trouves ça con...

– Il y a des choses bien plus importantes que ça, Alex! Arrête donc de faire le bébé! Tu n'as pas besoin d'un cellulaire!

– Mêle-toi de tes affaires! crie Alexane. Mom, *please, please, please...*

– Non. On en a parlé, ton père et moi, et il n'est pas question que tu aies des paiements à douze ans.

– J'ai presque treize!

– Peu importe, tu es trop jeune. Tu as ton iPod, c'est bien assez! Il n'y a pas une option qui te permet d'envoyer des messages avec ça? C'est ainsi que ta sœur et son *chum* se parlent, il me semble!

– Voyons, ce n'est pas la même chose! Où est papa? Je vais le convaincre, moi…

– Ton père est parti pour la journée, et il va refuser comme moi. On en a déjà parlé.

Voyant que sa première tactique ne fonctionne pas, Alexane essaie d'amadouer sa mère avec des mots doux. Ben quoi! Ça marche parfois!

– *Please*, petite maman d'amour qui est la plus fine, la plus belle et que j'aime tant… Dis oui!

– Alex, le sujet est clos.

– Ahhh!

Ce qu'Alexane fait présentement s'apparente de près à une crise d'enfantillage. Et elle le sait. Mais elle meurt d'envie d'avoir un cellulaire. Voyant que sa mère tient son bout, elle descend au sous-sol en marchant bruyamment pour être certaine que tout le monde comprenne bien sa frustration.

*Je suis tellement tannée. Laurie est grande, elle. Elle a le droit de travailler, elle. Mais moi, je n'ai pas l'âge de travailler! Comment je pourrais avoir un cellulaire? C'est tellement injuste! C'est sûr que Maïka s'en fiche; elle n'a presque pas d'amis. La seule personne qui compte pour elle, c'est son foutu* chum!

Assise sur son lit avec son petit chien Philémon à ses pieds, Alexane monte le volume de son iPod. Elle est tellement fâchée qu'elle ne voit pas Laurie entrer dans sa chambre.

– Alexou... je peux te déranger?

– Qu'est-ce que tu veux? dit-elle d'un ton sec.

– Ne me parle pas comme ça! Je ne t'ai rien fait, moi.

– Désolée. Je vois rouge! Je suis

tannée que tout le monde se mêle de mes affaires! Je suis toujours trop jeune pour tout!

Les bras croisés, Alexane affiche une moue boudeuse. Ses narines se dilatent à chaque respiration, signe qu'elle est réellement fâchée.

– Tu dois comprendre maman...

– Pas toi aussi! Lâchez-moi un peu! Je n'ai pas trois mères, juste une, et c'est bien assez!

– Ne trouves-tu pas que tu es un peu soupe au lait?

– Ben là!

– En tout cas, je voulais juste te dire que tu t'en fais pour rien... Tu vas voir, quand tu auras mon âge...

Laurie aime bien rappeler à ses sœurs qu'elle est l'aînée et qu'elles devraient se fier à son expérience. Maïka, ayant un caractère plus fort que sa sœur, se fait un plaisir de l'envoyer promener. Mais Alexane est beaucoup moins habile dans cet art.

– C'est bon, Laurie. Je veux être seule, OK? Merci quand même pour tes conseils.

Laurie ouvre grands les yeux. Elle est surprise que sa petite sœur soit si désagréable, contrairement à son habitude.

– On dirait bien que l'école secondaire t'a monté au cerveau, toi... lance Laurie. Franchement! Tu n'as aucune raison de me parler comme ça, ajoute-t-elle en s'apprêtant à quitter la chambre. La prochaine fois, tu t'arrangeras avec tes problèmes.

– Eh bien, à ce que je sache, je ne t'avais pas demandé d'aide! glisse Alexane d'un ton cinglant avant que sa sœur ferme la porte.

Toujours en train de me rappeler que je suis plus jeune, celle-là! Je le sais, voyons! Et ce n'est pas parce que je suis plus jeune que mes problèmes sont moins importants! Et je n'ai tellement pas besoin d'eux autres! Et je suis assez grande maintenant pour m'arranger toute seule... Et c'est même ce que je vais faire, m'arranger toute seule!

Alexane se rend au salon du sous-sol, où l'ordinateur portable familial traîne sur la table. Sachant très bien que ce qu'elle s'apprête à faire est une très mauvaise idée, elle se branche sur Internet pour zieuter le prix des cellulaires.

Je pourrais faire comme plusieurs et avoir un téléphone à la carte... Comme ça, mes parents ne le sauraient pas. J'irai acheter l'appareil à leur insu. Voilà, c'est décidé. Je suis assez grande pour savoir ce qu'il me faut dans la vie!

— Je sors! avertit Alex, la main posée sur la poignée de porte d'entrée.

— Où vas-tu? demande sa mère, assise au salon.

– Chez Tina! Je reviens pour souper.

Ce qui n'est pas un mensonge en soi. Car elle se dirige bien vers la maison de Kristina... pour lui demander de l'accompagner au centre commercial. Alexane a le pressentiment que Rosyane ne serait pas d'accord avec son idée. Celle-ci est plutôt du genre docile, et elle n'aime pas enfreindre les règles. Kristina, par contre, ne s'arrêtera pas au fait qu'Alex désobéit à ses parents. Au contraire. Et Kristina ne refuse jamais une petite séance de magasinage. C'est la fille avec la garde-robe la plus impressionnante de toute la première secondaire!

Dix minutes plus tard, les deux amies sont en route pour le centre commercial par cette journée d'automne plutôt chaude. Elles marchent d'un pas lent dans la rue Principale bordée d'arbres matures de Mont-Lazard, petite ville plutôt tranquille à cette période de l'année. Mais il faut avouer que Mont-Lazard, avec ses 6 000 habitants, n'est jamais une ville très mouvementée!

– C'était tellement poche hier! s'exclame Kristina. J'ai été obligée d'aller passer la soirée chez ma tante.

– Avec ton petit cousin hyperactif?

– Oui! Le petit monstre, il a passé la soirée à me monter sur la tête. J'essayais de jaser avec ma cousine, et il ne nous lâchait pas!

– Ta soirée a donc été terrible?

– *My gosh*, oui! Je me suis même fait chicaner par ma mère parce qu'on ne s'occupait pas assez de lui. Et toi?

– Ah... moi... bah, pas grand-chose! J'ai niaisé sur le Net. J'étais toute seule à la maison.

– Ah ouin? Surprenant!

– Pas tellement, non. Ça arrive souvent ces temps-ci.

– Poche!

– Oui... répond évasivement Alexane.

Elle marche en regardant ses pieds. Cette semaine a été plutôt tranquille. Ses parents ne se sont pas disputés. Malgré tout, Alexane sent que la situation n'est pas complètement rétablie. Et elle n'a pas vraiment l'intention de partager ses sentiments sur ce sujet avec Kristina. Elle n'a pas apprécié la réaction de son amie la semaine dernière lorsqu'elle en a parlé. Le mot *divorce* résonne encore dans sa tête, tel un écho qui ne veut pas se taire.

– Ça va? Tu as l'air biz.

– Non, ça va! Je pensais à mon futur cellulaire! ment Alexane pour éviter que la conversation dévie sur ses parents.

Dès leur arrivée, Kristina et Alexane se dirigent directement dans la boutique d'électronique. Elles traversent le centre commercial au complet d'un pas rapide, ce qui leur prend à peine deux minutes.

– Qu'est-ce que tu penses de ce modèle? demande Alexane.

– Bien… mais regarde celui-là! Il est super beau…

– Oui! Mais super cher aussi. Vraiment pas dans mon budget. Ce n'est pas si payant que ça, le gardiennage!

– OK! Tu as raison. Celui-là alors?

– Oui, c'est bien. Parce que ça va me coûter plus cher avec la carte…

Quelques minutes plus tard, les deux filles sortent du magasin. Alex est bien heureuse de son achat, même si elle vient de dépenser une bonne partie de ses économies… Bah, ça en valait la peine, non?

Les deux copines placotent tout en marchant dans l'unique corridor du centre commercial. Comme toutes les deux aiment magasiner, elles en profitent

pour faire le tour des boutiques. Kristina ne peut s'empêcher d'acheter lorsqu'elle voit que le foulard beige et jaune qu'elle désire est à rabais.

– Hé! Alex! crie une voix derrière elles.

– Bazouelle, c'est ma sœur… marmonne Alex en se retournant. Qu'est-ce qu'elle fout ici?

Tentant tant bien que mal de cacher le sac de plastique contenant son précieux achat, elle la salue à son tour.

– Hé, *sister!* Allô! Tu n'es pas à la maison?

– Non, comme tu vois! répond Laurie.

Je rejoins Fred. On va voir un film. Je ne t'avais pas vue partir.

– Tu devais être dans ta chambre…

– Qu'est-ce que tu caches derrière ton dos?

– Rien. On doit y aller, nous! Bye!

Laurie attrape la main de sa sœur et tire le sac vers elle, voulant absolument savoir ce qu'elle tente de dissimuler.

– Quoi! Tu as acheté un cellulaire! s'exclame-t-elle après avoir ouvert le sac.

– Ce n'est tellement pas de tes affaires! Je ne me mêle pas de ta vie, moi! Donne-moi ça!

– Maman ne voulait pas, il me semble!

– Ben… elle ne le sait pas vraiment.

– Pas vraiment? Elle va t'arracher la tête!

– Pas si elle ne le sait pas, réplique Alex

en faisant les yeux doux. Si personne ne le lui dit... Tu es capable de garder un secret, *sis*, non?

– Tu veux que je mente aux parents? Ah non! Ils me font confiance. En tant qu'aînée...

– Lau! Ne niaise pas... s'il te plaît. Tiens ça mort! *Please!* Sois solidaire un peu... avec moi et non avec les parents!

– Ouin. On s'en reparlera à la maison, fait Laurie en hochant la tête. Je ne suis pas d'accord...

*Je suis dans le pétrin. Elle va me dénoncer aux parents et je serai punie jusqu'à mes dix-huit ans. Il faut que je la convainque de se taire. Comment je pourrais m'y prendre?*

– Ne t'en fais pas! Elle ne te « stoolera » pas, j'en suis certaine, la rassure Kristina.

– Tu ne connais pas ma sœur. Un vrai porte-panier. Il faut que je trouve une façon de la persuader de garder le secret.

– On va trouver. Eh, mais c'est Oli là-bas, à l'entrée du cinéma!

*Olivier? Le beau Olivier est là?*

Alex replace une mèche en passant devant un des murs miroirs d'une boutique de vêtements. Elle attrape son gloss dans son sac à main et le passe sur ses lèvres. Elle se sourit, satisfaite du résultat. *Pas trop mal!*

– Ouin! Il semble te faire de l'effet! la taquine Kristina.

– Non, non... J'avais les lèvres sèches.

– Il me semble, oui. Tu crois que tu vas me faire avaler ça?

Alexane rougit instantanément. Bon, peut-être qu'Olivier lui plaît un peu. C'est vrai qu'il a un regard profond et ce petit je-ne-sais-quoi.

– Penses-tu qu'il pourrait être intéressé?

– Peut-être! lance Kristina. En fait... je

n'en ai aucune idée. Il est dur à cerner. Le sport semble être très important pour lui... mais ça ne veut pas dire que tu n'as pas de chance, termine-t-elle, essayant d'être positive.

Feignant de ne pas l'avoir vu, Alexane s'approche du cinéma pour aller vérifier les films à l'affiche. Si elle marche assez rapidement, elle y arrivera avant qu'il entre dans une salle. Qui sait, peut-être l'invitera-t-il à se joindre à lui? espère-t-elle.

Alors qu'Alex parvient aux arcades à l'entrée du cinéma, une surprise de taille l'attend. Le beau Olivier est toujours dans la file d'attente, mais il est accompagné de Rosyane, sa meilleure amie.

Pour une rare fois, Alexane est sans mot. Son cœur bat à tout rompre et ses jambes se ramollissent, comme si elles étaient sur le point de céder sous son poids.

Elle se sent trahie. Comment sa meilleure amie peut-elle lui avoir caché qu'elle avait le béguin pour le même gars qu'elle? En plus, il me semble que j'ai envoyé des signes clairs comme quoi il m'intéressait! Rosy aurait dû le savoir!

Elle tire le bras de Kristina et se contente de dire :

– Viens-t'en! On s'en va d'ici.

– Tu ne veux pas aller lui parler?

– À qui? demande Alexane, l'air innocent.

– Ben, à Rosy!

– Non, surtout pas, dit-elle, la larme à l'œil. Je veux retourner à la maison.

Habituellement, Alexane n'aurait pas été affectée outre mesure par le fait que le gars qui l'intéresse soit avec une autre. Mais Rosyane est sa meilleure amie! La traîtresse! Comment a-t-elle pu lui cacher

**61**

qu'elle était intéressée par Olivier? Depuis qu'elles se connaissent, les deux amies se confient tout, sans exception. Jusqu'à aujourd'hui. Cette journée où Alexane a désobéi à ses parents pour la première fois sans le dire à sa meilleure amie. Cette journée où son amie Rosyane a son premier rendez-vous. Cette journée de la première trahison de Rosy envers sa meilleure amie. Et surtout, son premier échec amoureux. Le cœur broyé, Alexane a seulement le goût de s'enfermer seule dans sa chambre pour pleurer. Elle ne pense plus à son nouveau cellulaire, ni au risque que Laurie la dénonce. Ses parents et leurs disputes ont aussi disparu de son esprit.

– Tina, je rentre chez moi. Je ne me sens pas trop bien.

– Voyons! Tu allais super bien il y a deux minutes!

– J'ai des crampes... Je crois que je

vais avoir mes règles.

Une excuse qui sauve à tout coup; Maïka l'utilise régulièrement pour manquer l'école. Kristina se contente de faire une moue, mais son amie ne change pas d'idée pour autant. De toute façon, ce n'est qu'un demi-mensonge puisque, depuis qu'elle a rencontré sa meilleure amie accompagnée d'Olivier, de vilaines crampes au ventre l'assaillent.

La tête basse et le cœur lourd de chagrin, Alexane se dirige vers la maison d'un pas rapide. Elle veut pleurer en paix dans sa chambre et être seule. Alors qu'elle arrive à la maison, elle voit Maïka assise dans les marches. Sa sœur fume une cigarette. S'efforçant de sourire, la benjamine lui demande :

– Qu'est-ce que tu fais là?

– Ben, ça se voit!

– Je pensais que tu avais arrêté!

Un long silence prend place en signe de réponse. Alexane sait que les raisons pourquoi Maïka fume, c'est pour embêter ses parents et pour faire comme Vincent. Les fois où elle a arrêté, c'est parce que Vince et elle venaient de rompre. Évidemment, ses parents sont totalement en désaccord avec le fait qu'elle fume, mais sachant très bien qu'ils ne peuvent pas contrôler Maïka, ils ont abdiqué. Celle-ci sait que ça les offusque, car les seuls moments où elle fume, c'est lorsqu'elle est avec Vincent ou bien à la maison – à l'extérieur bien sûr. À l'école, c'est trop compliqué avec les règlements imposés, et elle n'aime pas vraiment l'idée de sortir de la cour d'école pour aller fumer une cigarette. C'est pourquoi Alexane croit que sa sœur fume principalement pour enquiquiner les parents.

Après avoir soufflé un long nuage de fumée, Maïka dit :

– Moi, à ta place, je n'entrerais pas.

– Pourquoi? répond sa sœur en se tournant vers elle.

– Ambiance lourde.

Alexane jette un regard interrogateur, oubliant rapidement les soucis qu'elle traîne depuis le centre commercial.

– Les parents.

– Quoi, les parents?

– Ils s'engueulent.

– Encore! s'exclame Alexane. Bazouelle! Ils ne pourraient pas nous donner un *break* de temps en temps? termine-t-elle sur un ton sévère.

Les yeux de Maïka s'écarquillent devant la réaction de sa jeune sœur.

– Woh! Ne grimpe pas dans les rideaux.

– Excuse-moi. Ce n'est pas ma journée...

– Veux-tu en parler?

– Pas vraiment.

– OK. Comme tu veux.

Un long silence s'installe. Ni l'une ni l'autre ne savent quoi dire. Ça fait quelques fois que ça se produit. Ces derniers mois, il y a de la tension dans l'air, entre leurs parents, mais elles ne savent pas pourquoi. Pourtant, ils ont toujours semblé heureux et amoureux. Maintenant, c'est la catastrophe. Toute la famille marche sur des œufs.

Après avoir lâché un long soupir, Alexane entre dans la maison. Une tranquillité inhabituelle règne. Aucune musique ne joue et la télévision est éteinte. N'osant pas manifester son arrivée, elle se dirige rapidement vers le sous-sol, effrayée que sa sœur ait dit vrai.

Assise sur son lit, Alexane se sent bien seule. Elle ne peut téléphoner à Rosyane, Laurie est au cinéma et Maïka, bien... c'est Maïka! Et Kristina... encore moins, elle vient quand même de la laisser en plan prétextant un mal de ventre! Elle tente de rejoindre Félix, mais sans succès.

Alexane prend son cahier de poèmes et griffonne des dessins à côté des quelques textes déjà écrits. On dirait que tout va mal! Je me sens seule! Qu'est-ce qui se passe? C'est vraiment ça, le secondaire? Que des problèmes? Il n'y a pas quelqu'un qui aurait pu m'avertir que ma vie deviendrait un enfer?

La plus jeune de la famille Lafontaine passe le reste de l'après-midi seule, à broyer du noir. Maïka n'est même pas venue la voir; pourtant, elle sait très bien qu'Alexane est seule dans sa chambre. Cette dernière lui en veut de ne pas se soucier d'elle ainsi, même si Alex ignore que sa sœur aussi a ses problèmes et aurait besoin de réconfort tout autant qu'elle. La seule façon qu'Alex a trouvée pour se sentir un peu mieux, c'est en augmentant le volume de sa musique très fort pour avoir l'impression que son·

cerveau ne peut plus réfléchir.

Elle attrape la boîte de son nouveau cellulaire dans le fond du sac, et actionne l'objet. Elle change la sonnerie, ajoute le mode vibration et entre les coordonnées de ses amis. Jouer avec son nouveau gadget lui change les idées, ce qui lui permet d'oublier sa mauvaise journée. Lorsqu'elle a terminé de régler l'appareil, elle glisse celui-ci dans le tiroir de sa table de chevet et enfouit la boîte dans sa garde-robe, sachant qu'elle devra la jeter dans une autre poubelle que celle de la maison.

Juste avant le repas, le téléphone résonne dans la maison. Après plusieurs coups retentissants qui réussissent à parvenir aux oreilles d'Alexane à travers la musique tonitruante, l'adolescente finit par décrocher. Il n'y a personne d'autre que moi qui peut répondre au téléphone dans cette foutue maison?

– Oui?

– Alex? C'est Rosy.

– Allô, répond-elle sèchement.

– Ça va?

– Oui.

– Tu es sûre? On dirait que tu es fru.

– Non.

Le ton d'Alex saisit son amie, au point qu'elle ne sait plus quoi dire. Après plusieurs secondes de silence, elle lance joyeusement, pour tenter de changer l'ambiance :

– Tu fais quoi ce soir? Tu veux venir faire un tour chez moi? Mes parents s'en vont avec mon petit frère chez mes grands-parents et j'ai décidé de ne pas y aller.

– Bah...

– Ben voyons...

– Qui sera là? Ton beau Olivier, peut-être?

– De quoi tu parles? réplique Rosyane, surprise par le ton sarcastique d'Alex.

– Rien, dit-elle promptement. Je ne peux pas ce soir, j'ai un souper de famille.

– Tu ne m'avais pas dit ça...

– Je dois y aller. Bye.

À peine Rosyane a-t-elle fini de saluer qu'Alexane raccroche, ne laissant même pas le temps à son amie d'ajouter quelque chose. Les larmes aux yeux, Alexane remonte le volume de sa musique.

Aussitôt, la porte de sa chambre s'ouvre.

– Peux-tu baisser ça? On ne s'entend plus penser, hurle sa mère par-dessus une chanson de Taylor Swift.

Alex s'exécute rapidement tout en levant les yeux au ciel.

– Tu viendras souper. C'est prêt.

Une odeur de saumon a envahi la maison. Un des repas préférés de Laurie. Toute la famille est à table; chacun la tête penchée vers son assiette. Il plane dans la pièce une atmosphère tendue. Le père regarde les nouvelles que la télévision projette du salon; Alexane, elle, n'est pas d'humeur à mettre de l'ambiance comme elle a l'habitude de le faire et grogne dans son coin. Elle pense à sa meilleure amie. Elle n'arrive pas à se sortir l'image de Rosy à proximité du gars le plus *cute* de la première année du secondaire... Mais elle songe surtout à son mensonge. Pourquoi ne m'a-t-elle pas confié qu'elle aimait bien Olivier? Elle savait en plus que je tripais dessus! Elle aurait pu en trouver un autre. Quelle solidarité!

Laurie sort tout le monde de sa bulle en prenant la parole :

– Vous ne savez pas qui j'ai vu au centre commercial aujourd'hui?

Alexane se raidit. Laurie ne va quand même pas la dénoncer ainsi, devant toute la famille? *Ça serait vraiment chien!* Alex lève les yeux, la supplie silencieusement de rester discrète sur son achat de cet après-midi.

– Qui? s'informe Sonia sans conviction.

Laurie braque les yeux sur sa jeune sœur.

– Tante Sophie.

Le cœur d'Alexane se remet à battre normalement. *Ouf! Je lui en dois une à la sœur.*

– Elle vient de s'acheter un petit chien! continue Laurie en regardant Alex du coin de l'œil.

– Ah oui! s'emballe Alexane, si contente que sa sœur se soit tue sur sa petite escapade au centre commercial. On devrait aller la visiter bientôt.

Sonia saisit la balle au bond.

– On pourrait y aller demain, si tu veux. Je suis certaine que ça lui ferait plaisir.

– Moi, je passe la journée avec Vince, se dépêche de dire Maïka.

– Je dois étudier pour mon examen, lance Laurie.

– Voyons, Lau! Il n'y a pas d'examens en début d'année!

– Tu sauras qu'en cinquième secondaire, on n'a pas le temps de chômer. Ils nous préparent pour le cégep. Tu vas voir quand tu seras rendue là...

– Je ne serai certainement pas *freak* comme toi... précise Maïka.

Les deux plus vieilles commencent à se chamailler, offrant un spectacle disgracieux à toute la famille. Elles sont tout le temps en train de se picosser, ces deux-là. Maïka finit par se lever, clamant qu'elle n'a plus faim. Elle dépose bruyamment son assiette dans l'évier et descend à sa chambre sans plus de façon.

– Elle est tellement tête de mule! conclut Laurie.

Exaspéré, Christian s'en va dans le salon sans dire un mot. Il augmente le volume de la télévision. La voix de Patrice Roy, le lecteur de nouvelles de dix-huit heures, résonne à fond à travers l'étage. Le père de famille manifeste ainsi qu'il ne veut plus rien entendre.

– Mom! Je vais être encore « pognée » à faire la vaisselle toute seule, se plaint Alexane.

– Je vais t'aider. Allez hop! dit Sonia sur un ton peu convaincant.

– On peut appeler tante So toute de suite?

– Oui, vas-y.

La planification de la journée du dimanche a réussi à redonner le sourire à Alexane. C'est normal, elle est tellement géniale. C'est la seule dans cette famille qui ne se prend pas pour ma mère!

La soirée s'étire, Alexane s'ennuie. Sa frustration contre sa meilleure amie est toujours bien présente, mais elle essaie de garder le moral quand même. Facebook, c'est une bonne façon de chasser l'ennui! Elle s'assoit dans le salon du sous-sol avec le portable sur les genoux.

**Alex Lafontaine**

C'est plaaaaate! Rien à faire!

J'aime · Commenter · Partager · il y a 2 minutes

2 personnes aiment ça.

**Rosyane Veilleux** Viens me voir!

Ahhhh! Je l'avais oublié celle-là... Je n'ai tellement pas le goût de lui répondre. Contrairement à son habitude, Alexane a une envie folle de lui envoyer une vacherie. Et sans réfléchir, elle ajoute :

**Alex Lafontaine**

C'est plaaaaate! Rien à faire!

J'aime · Commenter · Partager · il y a 2 minutes

2 personnes aiment ça.

 **Rosyane Veilleux** Viens me voir!

 **Alex Lafontaine** T'as pas changé ton statut??

 **Rosyane Veilleux** De quoi tu parles? 😊

 **Alex Lafontaine** De ton nouveau chum, voyons! Vous vous voyez en cachette, c'est ça?!

 **Rosyane Veilleux** Je sais pas pourquoi tu dis ça! J'ai pas de chum!

**Alex Lafontaine** MENTEUSE!

Fâchée, Alexane se déconnecte aussitôt de Facebook. Quand même, je n'accepterai pas de me faire mentir en pleine face par la fille qui est censée être ma meilleure amie!

Trois minutes et quinze secondes plus tard, Rosy cogne à la porte de son amie, essoufflée par la course entre sa maison et celle d'Alex.

– Qu'est-ce que tu veux?

– Voyons! C'est quoi ton problème?

– Toi et Olivier!

– Pourquoi?

– Pourquoi?! Pourquoi tu ne m'as pas dit que tu sortais avec lui? Tu savais que j'avais un œil dessus!

– Hein? Primo, je ne sors pas avec lui! Deuxio, non je ne le savais pas! Comment j'aurais pu deviner?

– Alors, qu'est-ce que tu faisais au cinéma avec lui?

– Ben, il m'a invitée et j'ai accepté, c'est tout. Il ne s'est rien passé. Tu capotes pour rien! C'est un ami, c'est tout!

– Mon œil que je capote pour rien!

– Coudonc, me surveilles-tu?

– Te surveiller? Je n'ai pas juste ça à faire!

– J'ai le droit d'aller au cinéma avec UN AMI sans te demander la permission!

– *Bullshit!*

– Toi, quand tu fais des activités avec Félix, tu n'attends pas mon accord!

– Ce n'est pas pareil! dit Alexane. Félix, c'est mon ami depuis toujours. Et tu t'en fous de Félix, alors que moi je ne me fous pas d'Olivier, termine-t-elle en haussant le ton.

– Alex! Calme-toi! Franchement, je ne me ferais pas un *chum* sans t'en parler, voyons! Pour qui tu me prends?! Ce n'est vraiment pas mon genre. Je suis ta *best*, je ne te ferais jamais un coup pareil.

– Si tu le dis… maugrée Alex.

– Mais pourquoi tu ne m'as pas dit que tu l'aimais bien?

– Euh... je croyais que tu le savais... C'était clair me semble, non?

– Pantoute!

– Ah! J'étais sûre que... Je te parle souvent de lui... Je croyais que... bégaie-t-elle.

– Ce n'était pas si clair, non! Et ne t'en fais pas, je ne laisserais jamais un gars se mettre entre nous deux! Je ne peux pas croire que tu étais fâchée après moi pour ça.

Honteuse et la tête basse, Alex braque son regard sur ses ongles vernis en mauve. Elle se mord la lèvre inférieure, avant d'ouvrir la bouche à nouveau.

– Excuse-moi. J'ai peut-être paniqué un peu... Je crois que la tension qu'il y a dans cette maison commence à avoir un effet nocif sur moi.

– C'est correct. Je te pardonne. Maintenant, va effacer les niaiseries que tu m'as écrites sur Facebook...

# 4. Querelle prise deux

En ce dimanche matin, Laurie et Alexane sont écrasées sur le divan et fixent l'écran de télévision. Comme Laurie ne travaille pas à l'épicerie aujourd'hui, elle a décidé de passer une journée tranquille à la maison. Sonia a préparé un chocolat chaud à ses filles, et bien emmitouflées dans une couverture, elles regardent la série Pretty Little Liars sur DVD.

Maïka s'extirpe du lit vers onze heures. En grognant, elle vient prendre place entre ses deux sœurs.

– Hé! Tu es sur la couverture. Ôte-toi! la réprimande Alexane.

– Chut! les filles. On va manquer un bout,

là! intervient Laurie. Maïka, enlève tes pieds de sur les miens!

– *Come on*, laisse-moi une place!

– Tais-toi! On essaie d'écouter.

– Mets sur pause, c'est tout!

Il n'en faut pas plus pour que les deux plus vieilles commencent à se disputer.

– As-tu fini de toujours traîner un air bête avec toi? accuse Laurie d'un ton ferme.

– Voyons! Je n'ai rien fait! Calme-toi, p'tit *boss* de bécosse! riposte immédiatement Maïka.

– Il faut bien qu'il y ait quelqu'un de responsable dans cette famille. On voit bien qu'on ne peut pas se fier sur toi!

– De quoi tu parles, là?

– De toi, de ton attitude, de tes frustrations qu'on doit subir tous les jours. Sincèrement, Vincent a une mauvaise influence sur toi. Depuis que tu sors avec lui, tu n'es pas du monde!

– Te prends-tu pour mom, là? Ça ne te regarde pas du tout, ma relation avec Vince.

– Quand tu deviens une vraie peste avec toute la famille, oui, ça nous regarde!

Impuissante, Alexane assiste à ce désolant spectacle. Ses deux sœurs lèvent le ton. Elles se lancent des vacheries en faisant abstraction de sa présence. Un lot de frustrations accumulées émergent comme deux volcans en éruption. Il semble que les deux filles se retiennent depuis longtemps de se dire leurs quatre vérités. La dispute du souper de la veille n'était pas terminée, finalement.

– Et toi, madame je pense que je suis parfaite, as-tu fini de te mêler de la vie de tout le monde? Alex et moi, on est tannées que tu crois tout savoir! attaque Maïka à son tour.

– Euh… je n'ai pas rapport là-dedans, moi… tente d'intervenir Alexane.

Cette dernière s'éclipse du salon, voyant que ses sœurs ne remarquent plus sa présence. Elle ne veut pas entendre un mot de plus. *C'est ridicule, leur affaire! Si elles se parlaient plus, aussi.*

Même si elle a quitté la pièce, Alexane entend encore l'engueulade. Celle-ci dure jusqu'à ce qu'un claquement de porte résonne au sous-sol. Le silence s'installe ensuite. Alexane sort de sa chambre et se dirige vers le salon, espérant que l'ouragan est passé.

**84**

Laurie regarde le téléviseur, fixé sur une image. Alex voit bien que sa sœur rumine.

– Ça va aller? lui demande-t-elle.

– Je ne sais pas! Maïka est tellement détestable quand elle veut. Elle joue les rebelles pour plaire à son *chum*, mais on le sait bien qu'elle est comme nous deux. En plus, elle se croit tout permis! La maison est à nous tous! Franchement! Je suis tannée d'elle et de son caractère de cochon...

Alexane baisse les yeux. Elle se sent mal à l'aise d'écouter sa sœur dénigrer Maïka ainsi.

– Est-ce qu'on peut recommencer à écouter l'épisode? propose-t-elle afin de changer de sujet.

– Mais j'ai raison, non? Elle pourrait mieux se comporter avec nous... fait Laurie qui ne tient pas compte du dernier commentaire de sa petite sœur.

– Tu sais... J'aime mieux ne pas m'en mêler...

– Tu prends pour elle?

– Je ne prends pour personne...

– AH!

Laurie se lève d'un bond et prend la direction de sa chambre.

Alexane soupire et saisit la télécommande afin de reprendre le visionnement de son émission.

*Laurie est intense, ce matin! Qu'elle règle ses problèmes avec Maïka. Elle a raison sur certains points, mais Maïka n'avait pas entièrement tort non plus...*

Une quinzaine de minutes plus tard, Maïka apparaît au salon. Elle s'approche lentement, espérant que Laurie n'est plus là.

– Ouf! Elle est partie se cacher, la caporale?

– Elle est dans sa chambre, répond Alexane en appuyant sur pause.

– Lau devrait tellement se faire un *chum*, elle nous lâcherait un peu. Je suis vraiment tannée qu'elle se prenne pour une autre. C'est vrai, non?

– Bah, tu sais…

– Tu n'as rien de plus à dire? *Come on,* avoue!

– Je ne veux pas m'en mêler.

– Maudine que tu es mouton! Tu ne veux jamais te mêler de rien! Tu as sûrement des opinions, toi aussi?

– Lâchez-moi! Arrangez-vous, réglez vos problèmes, c'est tout, bazouelle! s'impatiente Alexane. Je n'en peux plus de vous entendre vous disputer tout le temps! Aimez-vous donc un peu!

Sur cette dernière phrase, Alexane sort du salon et s'en va déjeuner à la cuisine malgré l'heure tardive. Elle laisse Maïka en plan, debout au milieu du salon.

Lorsque Alexane descend au sous-sol une heure plus tard, elle voit ses deux sœurs assises côte à côte sur le canapé. Laurie et Maïka discutent calmement.

Enfin!

# 5. La crise

Quand Alexane referme la porte de son casier, elle ne s'aperçoit pas que son carnet tombe sur le sol. Se dirigeant ensuite vers sa meilleure amie, elle ne voit pas non plus Pénélope, une fille de la troisième année du secondaire, mettre le grappin sur le cahier.

– Attends-moi, Rosy! hèle Alexane en se faufilant à travers les élèves regroupés dans la salle des casiers.

Les deux amies se rendent à leur cours de mathématique en jasant de l'émission de télévision écoutée la veille. Elles traînent les pieds, sachant qu'elles ont encore plusieurs minutes de temps libre.

– Ouin... Alexane n'en a que pour Olivier... Wah! Ça sent l'amour.

Alexane se retourne vivement pour savoir qui vient de parler. Pénélope agite le carnet sous ses yeux.

– Il y a beaucoup de détails là-dedans. Olivier aimerait sûrement savoir tout ça...

– Heille! Donne-moi ça!

– Viens le chercher!

Alex s'approche de Pénélope. Elle essaie de prendre un air menaçant avec son cou étiré et ses épaules redressées. *Comment l'intimider, elle qui a une tête de plus que moi? Je ne semble pas l'impressionner du tout.*

Pénélope reste bien droite. Une de ses amies se tient à côté d'elle, les bras croisés, comme si elle était son garde du corps. Rosyane tente d'adopter la même attitude, mais le résultat est loin d'être concluant. Au contraire, leur attitude fait pouffer de rire Pénélope et son amie.

– Penny, elles font peur, les petites filles... J'en frisonne! rigole son amie.

– J'en connais un qui va être content de lire ça! lance Pénélope.

– Non! s'écrie Alexane. Donne-moi ça, j'ai dit!

Mais, l'élève de la troisième secondaire a tourné le dos et part dans la direction opposée.

– Câlique! Qu'est-ce que je vais faire?

Un air désolé embrume le regard de Rosy. Cette dernière met une main compatissante sur l'épaule de son amie.

– Comment je vais faire pour récupérer mon cahier? Il y a tant d'informations perso là-dedans! C'est quasiment un journal intime!

Rosyane évite les yeux de sa copine, car elle ne sait quoi lui répondre. Connaissant Pénélope, le cahier va sûrement faire le tour de l'école. La vie personnelle d'Alexane sera étalée au grand jour.

Alexane se rend à son cours, la mine déconfite. Rosy la prend par le bras, pour lui transmettre le réconfort et la solidarité nécessaires. Son amie passera quand même la prochaine heure à se tourmenter en se demandant ce que fera Pénélope, la bombe à retardement. *Je suis dans la merde, c'est sûr. Cette fille n'a aucune conscience. C'est une folle.*

En fait, les sœurs Lafontaine connaissent bien Pénélope. Pendant un bon moment, elle a été la meilleure amie de Maïka. Elles étaient inséparables au début du secondaire. Elles passaient presque tout leur temps libre ensemble, elles arboraient la même coupe de cheveux, portaient des vêtements semblables. Jusqu'à ce que Pénélope commette l'irréparable.

C'est au printemps dernier que leur amitié a brusquement pris fin. Un soir que

Maïka devait rejoindre Vincent au parc, elle était arrivée plus tôt que prévu. Elle l'avait alors surpris en compagnie de Pénélope. Elle avait vu celle-ci s'approcher de lui pour l'embrasser. Il l'avait repoussée, et traitée de conne. Pénélope ne savait pas que Maïka assistait à la scène. Cette dernière s'était avancée, l'avait poussée brusquement, et lui avait crié de ne plus jamais lui adresser la parole. Malgré de nombreuses tentatives, Pénélope n'a jamais obtenu pardon. Maïka fait simplement comme si Pénélope n'existait plus. Depuis, les sœurs Lafontaine la détestent, par solidarité.

Sur l'heure du dîner, Alexane constate l'ampleur du désastre. Alors qu'elle arrive à la cafétéria avec son lunch à la main, elle croise Olivier qui se dirige vers la même table qu'elle. Il s'arrête brusquement pour la confronter sans gêne.

– C'est quoi ton problème?

– Hein? Pourquoi tu me parles de même?

Olivier la fusille du regard.

– On n'est pas un couple! Arrête de dire ça à tout le monde! Cinglée!

– Je le sais... Voyons, c'est quoi le rapport? répond-elle, au bord des larmes.

– Va voir sur le tableau d'affichage au gym, poufiasse!

Les yeux d'Alex s'écarquillent pendant que son estomac se serre. Poufiasse? Au pas de course, elle se dirige vers le gymnase.

– *Oh my gosh!...*

Un gros cœur rouge a été dessiné; au-dessus, il est écrit en lettres rondes : *Alexane Lafontaine loves Olivier Bédard.* Des feuilles photocopiées de son carnet — des poèmes, des passages de lettres, des dessins — ont été accrochées autour. Et, en très gros, il y a le fameux *I Love Olivier.*

D'une main agressive, Alexane arrache les papiers photocopiés. Elle les chiffonne et se dirige d'un pas furieux vers le vestiaire des filles. Après avoir déchiré les feuilles, elle les lance à la poubelle et s'enferme dans une des cabines des toilettes en claquant la porte. Elle entend des élèves entrer dans le vestiaire. Bien sûr, elles discutent du cœur qui trône sur le babillard avec les résultats sportifs.

– Je mourrais de honte si ça m'arrivait, lance une voix aiguë.

– Moi aussi! Je crois que ce serait la pire chose qui pourrait m'arriver. Surtout que le gars que j'aime ne le sait pas... commente une autre fille.

– Je me demande si ce Olivier sait qu'Alexane tripe dessus.

Alexane bouche ses oreilles avec ses deux mains; elle refuse d'en entendre davantage. Ses sourcils se froncent pour retenir les larmes qui lui montent aux yeux. L'air lui manque, elle a seulement le goût de hurler toute l'humiliation qui pèse sur ses épaules. Elle entend des pas s'approcher.

– Alex... Tu es là...?

Elle reconnaît la voix de sa copine. Mais elle s'abstient de répondre; en ce moment, elle désire être seule. Et c'est normal, non? L'école entière sait maintenant que je tripe sur Olivier Bédard et connaît même tout sur ma vie, et Olivier ne veut plus m'adresser la parole... MA VIE EST UN CALVAIRE!

– Alex... Ouvre-moi.

C'est une Alexane en pleurs qui donne

un petit coup sur le loquet pour que la porte s'ouvre. Rosy referme la porte derrière elle et serre son amie dans ses bras.

– Ça va aller…

– Non… pas pantoute.

Un flot digne des chutes Niagara coule des yeux d'Alexane. Elle est incapable de retenir davantage toute la peine et les frustrations des dernières semaines, qui ne cessent de s'accumuler dans sa vie. Le torrent de larmes dure plusieurs minutes, jusqu'à ce qu'il s'assèche complètement. Les deux amies sortent de la salle de bain seulement lorsque le vestiaire est vide. Elles se faufilent hors du gymnase.

– Je ne veux pas aller à la cafétéria… Tout le monde me regarde et me juge. Je ne le supporte pas…

– Viens, on file chez moi.

Alex hoche la tête avant de la baisser.

– OK, on va chez toi.

***

– Tu étais où ce midi, Alex? demande Laurie à la pause.

– Ailleurs.

– Pourquoi?

– Tu vis sur quelle planète, toi?

Laurie baisse les yeux. Elle sait, elle aussi. Comme tous les élèves de Raymond-Talbot. Comment ne pas être au courant que sa petite sœur est maintenant la risée de l'école au complet?

– Qui a fait ça? réplique-t-elle après un moment, irritée que quelqu'un ose s'attaquer à sa sœur.

C'est au tour d'Alexane de garder le silence. Elle ne laissera certainement pas sa sœur se mêler de ses affaires. Elle peut s'arranger toute seule, elle sait se défendre.

De toute façon, qu'est-ce que Laurie pourrait bien faire? Elle ne fait pas le poids devant Pénélope.

– On en reparle à la maison. Pas ici, se contente de répondre Alex dans le but de gagner du temps.

– C'est qui? revient à la charge Laurie.

– À plus tard, la sœur. Je dois aller à mon cours, dit-elle en se levant de la table de la cafétéria, l'endroit de prédilection de la plupart des non-fumeurs de l'école au moment des pauses.

– Mais la cloche n'a même pas sonné...

Alex et Rosy vont retrouver Kristina aux casiers, évitant ainsi que le regard des autres se pose sur elles. Perplexe face à la réaction de sa benjamine, Laurie se lève et rejoint ses amies.

Au même moment, Félix intercepte Alexane dans la salle des casiers.

– Je peux te parler?

– Euh... oui.

– Seuls.

– OK.

Félix la tire dans la cage d'escalier, loin des oreilles indiscrètes.

– Tu es correcte?

– Euh... je crois.

– Je voulais juste te dire... euh... Avec ce qui se passe avec Oli... ne t'en fais pas. Il ne restera pas fâché très longtemps. Et ça ne change rien entre toi et moi, tu sais... Je ne veux surtout pas que tu penses que je me mêle de toute cette histoire. Tu es mon amie... et on sait tous comment Pénélope est...

– Je t'appelle ce soir, OK?

Alexane ouvre la porte pour quitter la cage d'escalier. Quelques secondes plus tard, elle se retourne.

– Félix?

– Oui?

– Merci.

À la fin des cours, Félix attend son amie à son casier. Ses cheveux un peu trop longs cachent ses yeux, ce qui lui donne un *look* mystérieux. Après avoir repoussé une mèche d'un coup de tête, il sourit.

– Pis, le prof d'éduc n'a pas été trop dur avec vous autres?

– Il a été correct! sourit Alexane, le visage rouge d'avoir bougé autant. Je me suis défoulée en masse.

– Le ballon s'est transformé en tête de Pénélope? chuchote-t-il.

– Exact! rigole-t-elle pour la première fois de la journée.

Félix, c'est le bouffon par excellence. Il sait toujours comment me faire rire. Son répertoire de blagues est d'ailleurs assez fourni.

– La folle est-elle partie? s'inquiète-t-elle à l'idée de voir Pénélope dans la cour d'école.

– Je ne sais pas! Je ne l'ai pas vue. Mais si tu sors par la porte de devant, tu devrais être correcte. D'habitude, elle se tient de l'autre côté.

– Ouais... J'attends Rosy et je m'en vais. File, si tu ne veux pas manquer ton bus!

– OK! Et n'oublie pas de m'appeler ce soir.

– Ciao!

Alexane et Félix se connaissent depuis longtemps. Non seulement parce dès leur maternelle ils ont fréquenté le même établissement scolaire, mais aussi parce que leurs mères sont amies depuis leur tendre enfance. Ils avaient à peine deux ans quand les deux femmes se sont connues. Elles avaient une amie commune, et puisqu'elles avaient toutes les deux un enfant du même âge, elles sont devenues copines. Chaque samedi matin, alors qu'Alexane et Félix n'allaient pas encore à l'école, elles faisaient leurs courses ensemble. Félix, un enfant unique, a toujours traité Alexane comme sa propre sœur.

Même si Rosy est ma meilleure amie fille, Félix occupe une grande place dans mon palmarès d'amitié. Et ce soir, c'est avec lui que je partagerai chaque moment de cette atroce journée.

Pendant qu'Alexane rassemble ses livres, un objet attire son attention dans le coin du corridor. Peu à peu, la section des casiers se vide. Lorsqu'il ne reste plus que quelques élèves, elle s'approche discrètement de ce qui a attiré son attention quelques instants plus tôt. En se penchant, elle aperçoit son cahier, amoché, qui traîne par terre.

Elle le prend et l'ouvre. Quelques pages ont été déchirées, mais la plupart sont encore là. Elle en vérifie le contenu; ses poèmes, ses dessins et ses secrets y sont toujours. À la dernière page, quelques mots ont été griffonnés en rouge et bien évidence : *Jeune épaisse, t'es une connasse.* Alexane déchire la page, la chiffonne et la jette à la poubelle.

– Grosse vache, trouve-toi une vie! Maïka a bien fait de te « flusher », marmonne-t-elle pour elle-même.

Rapidement, Alexane attrape son sac et retourne à son casier tout en jetant un coup d'œil à son cellulaire : elle doit se hâter, car c'est bientôt son cours de danse. Elle enfile son manteau, verrouille son cadenas et se dirige vers l'entrée principale. Son amie Rosy l'attend près de la porte.

– Qu'est-ce que tu faisais? s'exclame-t-elle. Ça fait cinq minutes que je t'attends!

– Désolée… Regarde ce que j'ai trouvé… invoque-t-elle pour sa défense en tendant le cahier.

– Oh!

Rosyane reconnaît le carnet de son amie. Elle le tourne dans ses mains, sans l'ouvrir. Un des coins est abîmé.

– C'est le tien? demande-t-elle à son amie, pour en avoir la confirmation.

– Oui, dit Alexane en le récupérant.

– Est-ce qu'il manque des pages?

– Je ne pense pas. Mais elle m'a écrit des insultes à la fin... J'ai déchiré la page et je l'ai jeté.

– Qu'avait-elle écrit?

– Des affaires comme : « t'es une connasse »...

– C'est quoi son problème?

– Sérieux, je pense qu'elle est assez folle pour se venger sur moi de ce qui s'est passé avec Maïka. Mais si c'est le cas, elle est encore pire que ce que je pensais.

Franchement, si Maïka n'est plus son amie, ça ne me regarde pas!

– J'ai entendu dire qu'elle faisait la même chose avec Megan, qui est en deuxième.

– Ah ouin? Notre Megan… celle qui est dans notre équipe de volleyball?

– Oui. Depuis l'an passé, elle l'écœure, lui fait des jambettes.

– Câlique! Ça n'a pas de sens. Je n'ai pas le goût qu'elle m'achale toute l'année, se décourage Alexane. Je ne vois pas comment je pourrais l'arrêter de m'écœurer, ajoute-t-elle en soupirant.

Les deux amies arrivent dans l'immeuble où se donne le cours de danse, à quelques pas de l'école. Elles enlèvent manteaux, chaussures et bas dans le petit local qui fait office de vestiaire. Après avoir enfilé leur tenue de danse, elles s'installent à gauche dans la salle où les élèves se rassemblent. Elles s'étirent en discutant, en attendant que l'enseignante commence le cours. La danse est un excellent exutoire pour Alexane et aujourd'hui, elle en a grandement besoin. La gamme d'émotions qu'elle a vécue à l'école a épuisé toute son énergie. Danser lui permet de se défouler, d'oublier ses problèmes et de combattre la fatigue.

Tout de suite après le cours, Alexane retourne directement à la maison, affamée. Laurie prépare le souper, seule à la cuisine.

– Où est tout le monde?

– Maman a une réunion et papa n'est pas arrivé. Et j'ignore où se trouve Maïka.

– As-tu besoin d'aide?

– Bien sûr!

Alexane sort un couteau du tiroir et coupe les légumes que sa sœur avait déjà déposés sur le comptoir. Laurie semble détendue, ce qui est surprenant, car depuis qu'elle a commencé la dernière année du secondaire, elle a plutôt les nerfs à vif.

– Ta journée s'est bien passée? s'informe Alex.

– Ouais. Pas si mal. Mais la réunion du bal m'a plutôt fâchée.

– Comment ça?

– Sophie n'arrête pas de vouloir tout diriger, tout faire à sa façon. Mais ça ne marche pas son affaire. Et Magalie, elle, ne fait que répéter tout ce que Sophie dit. J'en ai marre. Je regrette de m'être impliquée dans ce comité.

Magalie est la meilleure amie de Laurie. Mais le problème, c'est que Sophie a tendance à être *boss* de bécosse et surtout, pot de colle. Alexane a rarement entendu sa sœur parler en bien d'elle.

– C'est moche ça! Si je peux faire quelque chose pour toi...

– Tu es fine, mais tu ne peux pas faire

grand-chose. À part m'aider à choisir ma robe de bal!

Cette offre ravit Alexane. Il s'agit d'une marque de confiance inestimable de la part de sa grande sœur.

– Avec plaisir! Est-ce que tu as décidé ce que tu voulais faire l'an prochain?

– Oui... mais je n'en ai pas encore parlé aux parents. Tu me promets de garder le secret pour l'instant?

– C'est sûr.

– J'aimerais beaucoup aller étudier en Ontario. Je voudrais faire une immersion en anglais. Il existe des cours pour ça.

– Ce qui veut dire que tu partirais de la maison? réagit Alexane, déçue d'apprendre que sa sœur veut déménager.

– Oui... Mais tu pourras venir me visiter quand tu le voudras.

Alex fait la moue. Quelle déception

d'apprendre que sa sœur partira dès l'été.

*Je ne veux pas qu'elle s'en aille, elle me manquera trop! À qui je vais me confier à la maison quand elle sera partie? Parler avec Laurie, c'est différent d'avec mes amies, car elle a plus d'expérience et elle est de bon conseil.*

– Est-ce que tu penses que les parents vont accepter?

– Je vais trouver les mots pour les convaincre.

Ce que Laurie ne dit pas à sa sœur, c'est comment elle sent le besoin de recommencer à zéro. Elle ne veut pas aller au cégep du coin, elle veut partir, se faire de nouveaux amis, se construire une nouvelle vie. Et elle croit qu'elle trouvera ce bonheur-là ailleurs.

Alexane a la larme à l'œil. Elle ne s'attendait pas à ça. Même si sa sœur fait sa dernière année à la polyvalente, elle n'aurait jamais pensé qu'elle voulait quitter la maison familiale. La jeune Lafontaine ravale sa tristesse et change de sujet.

– Quel genre de robe aimerais-tu avoir pour le bal?

Alors qu'elles placotent tout en cuisinant, Maïka se pointe. Elle se joint à ses sœurs et attrape un bol pour préparer la salade. Les occasions de se retrouver toutes les trois se font de plus en plus rares, chacune étant si occupée. Ce moment paisible leur permet de rigoler et de passer un bon moment ensemble. Lorsque leurs parents arrivent enfin, la table est mise et d'alléchantes pâtes sont prêtes à être dégustées. Il y a longtemps que la famille n'a pas mangé dans une si bonne ambiance, sans altercation.

# 6. 27 octobre

– OK. Si j'ai bien compris, ce soir, dix-sept heures, chez les Lafontaine, chuchote Kristina à Félix.

– C'est ça. Julien va se rendre chez toi. Moi, je m'occupe d'étirer le temps après l'école avec Alex. Rosy sera déjà là-bas pour aider la mère d'Alex.

– Excellent.

– Alexane ne sait rien, ne l'oublie pas, lui rappelle Félix. Il ne faut pas lui vendre la mèche. Elle croit que pour sa fête, ses parents l'emmèneront au resto demain.

– J'ai hâte de lui voir l'air! s'exclame Kristina.

– Moi aussi!

Quelques secondes plus tard, Alexane se pointe aux casiers.

– De quoi parlez-vous?

– Ah! Salut! On parlait du prof de français qui en a fait une belle ce matin en classe, ment Félix.

Alexane s'efforce de sourire. Même si demain c'est son anniversaire et qu'elle aura treize ans, elle a encore le moral à plat. Olivier l'évite toujours, frustré d'être devenu le dindon de la farce à l'école à cause d'elle. En plus, pour éviter Pénélope le plus possible, Alex passe ses heures de dîner au gymnase, endroit que sa pire ennemie déteste. *Elle doit être assez épaisse pour penser que d'aller au gymnase peut détruire sa réputation de* tough!

Lorsque Alexane est en compagnie de Félix, Pénélope détourne le regard et fait comme si elle ne la voyait pas. Mais aussitôt qu'Alexane traîne avec Rosy, Kristina ou une autre fille, la chipie se fait un malin plaisir de la ridiculiser. Elle lui donne un coup d'épaule, lui lance une vacherie très fort pour que tout le monde entende ou la regarde avec des fusils dans les yeux. Chaque fois, un grand frisson parcourt le dos d'Alexane. Un long frisson qui lui rappelle que chaque jour est un calvaire.

Aujourd'hui, Alexane n'a pas croisé Pénélope. Et étant donné que Félix est actuellement à ses côtés, Alexane a donc la paix… pour l'instant.

– Et puis, Félix, as-tu acheté mon cadeau de fête? lance à la blague Alex.

– Oui, un rasoir pour tes jambes poilues!

Alexane donne un coup de poing amical sur l'épaule de son ami.

– Niaiseux!

– Je sais! Qu'est-ce que tu as prévu demain?

– Mes parents insistent pour qu'on mange en famille. On va aller au resto, avec mes sœurs. Même Maïka me fera l'honneur de sa présence!

– Beau plan!

– Pas tant que ça! Je ne sais pas à quelle heure je vais revenir, alors je ne pourrai même pas aller vous rejoindre à la soirée organisée à La Piaule.

– Ouin, j'avoue. Tu manques la meilleure soirée de l'automne. J'ai déjà trouvé mon déguisement!

– Qu'est-ce que c'est, cette fois-ci? s'informe-t-elle.

Elle est curieuse de connaître le déguisement de son ami, car il a toujours des idées originales. Chaque année, il surprend tout le monde en trouvant LE déguisement auquel personne n'aurait pensé... du moins, depuis qu'il est en âge de décider lui-même. Une année, il s'est même déguisé en tube de dentifrice!

– Tu vas halluciner! Je me déguise en... Ronald McDonald!

– Pas vrai! Tu es malade ben raide! Ça va être écœurant, répond Alex, attristée de manquer le *party* d'Halloween.

– Viens-nous rejoindre après, voyons!

– Mes parents ne voudront pas.

– Demande-leur! Tu verras bien! Je m'occupe de te trouver un costume. Fais-moi confiance.

– OK. Mais je sais qu'ils ne voudront pas. Je les connais, mes parents.

– Tu viens toujours chez moi après l'école?

– Oui.

– Ma mère va nous ramener en ville pour le souper. Je te rejoins à ta case et ensuite, on ira prendre le bus.

La journée passe rapidement. En fait, c'est une de mes meilleures journées depuis longtemps : Pénélope est absente aujourd'hui. Elle doit avoir « foxé ».

Dans le temps de le dire, la cloche annonçant la fin des cours retentit. Alexane marche rapidement jusqu'à son casier, ne voulant pas faire attendre Félix.

Quelques minutes plus tard, ils sont assis côte à côte dans l'autobus en direction du rang où habite son ami. Le plan : terminer la préparation du costume de Félix pour la soirée du lendemain. Bien que déçue de ne pas pouvoir assister au *party*, Alexane aide son copain avec enthousiasme.

Lorsque la mère de Félix revient du travail, elle klaxonne afin que les deux amis viennent la rejoindre.

– Je dois aller faire des courses avec ma mère, lance Félix avec un faux soupir pour apporter plus de crédibilité à son mensonge.

Le trajet jusqu'à la maison des Lafontaine se fait en silence, avec un bruit ambiant de musique. Celle imposée par la mère de Félix. Elle est très gentille, la maman de Félix, mais elle écoute Céline Dion et Nicola Ciccone. Pas tellement mon style!

À dix-sept heures trente, Alexane sort de la voiture. Lorsqu'elle arrive à la hauteur de la porte d'entrée, Félix émerge de l'auto.

– Attends! Tu oublies tes mitaines, crie-t-il en montrant les moufles qu'il lui a subtilisés dans le véhicule.

Il se dirige au pas de course vers son

amie. Au même moment, elle ouvre la porte pour entrer chez elle.

– SURPRISE!

Ses amis, ses sœurs, ses parents, quelques cousins et cousines l'accueillent dans le salon.

– AH! *My God!* s'exclame-t-elle en riant nerveusement.

Le sourire qui s'affiche sur mon visage doit être digne d'une publicité de Colgate Total. Je capote! Tout ce monde qui est là, pour moi!

Félix la pousse gentiment pour qu'elle entre dans la maison, tout en saluant sa mère qui quitte la cour au même moment.

– Tu ne croyais pas qu'on t'avait oubliée? lui lance Rosy en s'approchant d'elle pour l'embrasser. Bonne fête!

Tour à tour, Maïka, Laurie, Kristina, Julien et tous les autres étreignent Alexane et lui souhaitent un joyeux anniversaire. Son père aussi est présent. Il tient une caméra pour immortaliser ce moment.

Sa mère a déposé sur la table des plats contenant des dizaines de bouchées. Un grand bol de punch a été préparé et de la musique joue en arrière-plan. *Et ce n'est pas du Céline Dion ou du Nicola Ciccone!* L'ambiance est à la rigolade. Après avoir bien mangé, quelques-uns jasent au salon pendant que les autres jouent à des jeux à la table de la salle à manger.

Quelques heures plus tard, tous les invités sont partis. La famille Lafontaine est maintenant regroupée au salon.

– Et puis, ma fille, contente de ta soirée? dit Sonia en apportant un chocolat chaud à chacune de ses filles.

– Merci, maman. Merci, répond Alexane, les yeux pétillants de bonheur.

– Tu comprends alors que demain, nous n'allons pas au resto...

– Est-ce que je peux aller à la soirée d'Halloween, alors?

– Pourquoi pas? lance son père.

– YAHOU!

Cette journée est vraiment la meilleure depuis des semaines. La seule déception d'Alexane, c'est qu'Olivier ne soit pas venu. Il est toujours fâché à cause de l'incident du gymnase et continue de l'éviter. Depuis ce temps, il côtoie moins Félix et se tient avec les autres gars de l'équipe de hockey. Et en classe, il m'ignore complètement. C'est comme si je n'étais qu'un fichu vieux meuble! Avec Pénélope qui ne me lâche pas, je n'ai pas le courage de confronter Olivier. C'est difficile d'être amoureuse d'un gars qui agit comme si tu n'existais pas. C'est pire encore parce qu'il est fâché contre moi et que ce n'est même pas ma faute! Tout ça à cause d'une folle qui a décidé de me faire du trouble! Et si Pénélope faisait ça pour se venger de Maïka?

Quand Alexane arrive dans sa

chambre, elle attrape son cahier et écrit quelques notes, agrémentées de dessins – maintenant qu'elle l'a récupéré, elle le garde dans sa chambre, à l'abri des regards indiscrets. Elle ouvre le tiroir dans lequel elle dissimule son cellulaire et envoie un message texte à Kristina qui est partie depuis environ une heure.

Alex : Merci, c'était génial. À demain! JE VAIS AU PARTY!

Tina : C'EST *HOT!!!!!!!*

Alex : Ouais! Mais il faut que je me trouve un déguisement.

Tina : Demande à Félix, il est tellement bon là-dedans.

Alex : C'est ce que je vais faire. À demain!!!

Une soirée aussi fantastique mérite d'être partagée sur Facebook. Alexane se dirige au salon et s'assoit devant l'ordinateur portable.

**Alex Lafontaine**

MA FÊTE LA PLUS GÉNIALE! Merci mes amis! Et demain, *go* pour le *party!* Yé!!!!!!

J'aime · Commenter · Partager · il y a 1 minute

2 personnes aiment ça.

Après avoir ajouté une photo d'elle sur laquelle elle est toute souriante, Alexane s'aperçoit que Félix est connecté. Elle se dépêche de lui envoyer un message en privé.

**Alex Lafontaine** J'ai besoin de ton aide! Mes parents me laissent aller au party demain. Je n'ai pas de déguisement!

**Félix BD** J'avais prévu le coup! Je te l'avais dit que tu viendrais ☺. J'ai plein de costumes chez moi! Peux-tu venir demain?

**Alex Lafontaine** OUF! Le problème, c'est que je ne pense pas que mes parents vont vouloir me reconduire...

 **Félix BD** Je comprends. Ta mère n'a pas de vieux costumes? Ou une de tes sœurs?

 **Alex Lafontaine** Je vais regarder avec elles. C'est le mieux que je peux faire!

 **Félix BD** Un costume rétro peut-être? Ou tu pourrais t'habiller comme dans les années 1980?

 **Alex Lafontaine** Pas fou comme idée! Je vais vérifier avec ma mère!

 **Félix BD** Sinon, je peux t'apporter un déguisement demain et le déposer chez toi avant la soirée. C'est juste que tu ne pourras pas l'essayer avant.

 **Alex Lafontaine** Ça peut être une option.

 **Félix BD** J'ai un beau costume de pirate, si tu veux...

 **Alex Lafontaine** C'est bon... je crois que je vais m'arranger! Je ne veux pas avoir l'air d'un gars! Je te redonne des nouvelles!

 **Félix BD** D'ac. Je vais me coucher, moi!

**Alex Lafontaine** Bonne nuit, Félix! 😀

 **Félix BD** Ciao!

# 7. Pour qui?

À la maison des jeunes, l'arrivée d'Alexane et de Rosyane est synchronisée avec celle d'Olivier. Ce dernier porte un costume de pirate, sans doute emprunté à Félix.

– Fudge! chuchote Alexane à son amie. Olivier! Ça commence mal! Je retourne à la maison… se plaint-elle.

– Laisse-moi aller lui parler.

Pendant qu'Alex, vêtue d'une tenue des années 1950, se dirige vers la porte d'entrée, Rosyane bloque le passage à Olivier. Elle lui parle à voix basse, s'assurant que son amie n'entende pas ce qu'elle dit. La conversation dure quelques instants, pendant qu'Alexane attend à l'intérieur, à l'abri de ce petit vent du nord qui l'a fait grelotter quelques moments plus tôt. Elle voit Rosy pointer le doigt vers Olivier, comme si elle le disputait.

Son amie arrive finalement à ses côtés. Olivier la suit de près. Rosy lance un petit clin d'œil à sa *best*.

– Salut, dit l'adolescent en passant devant Alexane, sourire en coin. Bonne fête! ajoute-t-il avant d'entrer dans la salle où se tient la fête.

*Étonnant! Comment mon amie a-t-elle réussi à le convaincre de passer l'éponge?*

– Oh *my God!*... Qu'est-ce que tu lui as dit, Rosy?

– Rien de spécial. Ne t'en fais pas. Tu peux maintenant avoir l'esprit en paix. Avec Oli, du moins...

– Enfin! Ce sera un souci de moins...

– Ça ne va pas mieux avec tes parents?

– Je ne sais pas trop.

Et c'est la vérité. Alexane n'a aucune idée de ce qui se passe entre eux, car ils sont rarement à la maison au même moment. La veille, pourtant, elle a eu l'impression que la famille était aussi unie qu'auparavant. Un espoir qui s'est vite évanoui dès ce matin; la tension était revenue au galop. Elle les a entendus se chamailler à propos d'un sujet aussi banal que la qualité du café. Au cours des dernières semaines, son père est souvent au travail, ce qui fait que la tension a diminué dans la maison. Laurie s'implique dans le comité de l'album de finissants, sans compter les activités parascolaires, la vice-présidence du conseil étudiant et son boulot à temps partiel à l'épicerie du coin. Maïka, elle, comme d'habitude, est avec son *chum* ou reste enfermée dans sa chambre. Alexane se sent bien seule dans cette grande demeure.

J'aimerais tellement revenir un an en arrière. Alors que Laurie avait du temps pour moi. Avant que Maïka sorte avec Vincent. Dans ce temps-là, les parents s'embrassaient plutôt que de se disputer. Et moi, j'étais à l'école primaire et je n'avais aucun souci.

La musique bat fort dans la salle décorée de toiles d'araignée. Plusieurs personnes sont déjà sur la piste de danse improvisée. Les filles tentent de reconnaître les gens cachés sous les costumes. Ronald McDonald, avec son sourire figé, s'approche d'Alexane.

– Comment tu me trouves?

– Tu es trop *hot!* Ton meilleur costume, *ever!*

– Je sais. Je trouve ça moi aussi!

Les amis vont s'acheter une boisson gazeuse et, tout de suite après, Kristina, déguisée en mi-ange, mi-démon, vient chercher les deux filles afin qu'elles se joignent à elle pour danser. Ce costume va à ravir avec la personnalité de Tina!

Les gars font un signe de tête signifiant

que le plancher de danse est une zone à éviter pour l'instant, pour eux. Pendant plusieurs minutes, les trois copines se déhanchent, rigolent, s'amusent comme il y a longtemps que ça ne leur est arrivé. Cette fin de semaine est un réel baume sur le cœur d'Alexane.

Sans vouloir brusquer les choses, Alexane se permet tout de même de faire une approche auprès d'Olivier. Maintenant qu'il a baissé sa garde, peut-être qu'il pourrait s'intéresser à elle.

– Et puis, la partie, aujourd'hui? Ça s'est bien passé? lui demande-t-elle en l'abordant.

– Pas tellement, non. On a perdu 4 à 1.

– Oups! C'est moche.

– Ouais. Mais on joue encore contre la même équipe demain. D'ailleurs, je ne dois pas rentrer trop tard, la *game* est à dix heures.

*Oh! C'est nul ça! Les gars vont partir tôt. Mes chances avec Olivier s'envolent au fur et à mesure que les minutes passent.*

Rosy interrompt la discussion.

– Allez, venez danser! Vous ne passerez quand même pas toute la soirée à siroter une boisson gazeuse, appuyés contre cette table!

– OK... se laisse facilement convaincre Olivier.

Félix suit de près. Sur le rythme endiablé des haut-parleurs empruntés pour l'occasion, la piste de danse se remplit. Jusqu'à ce que quelques notes beaucoup plus lentes suivent. *Un slow! Je n'avais pas songé à cette éventualité! Qu'est-ce que je fais? Est-ce que j'ose demander à Oli de danser avec moi?*

Une fille d'une autre classe se précipite sur Olivier. Il accepte aussitôt de danser avec elle. *Zut!*

Félix s'avance près d'Alexane.

– Pas grave. Ne t'en fais pas avec cette fille; je ne crois pas qu'Oli soit intéressé. Viens danser avec ton meilleur ami, lui lance-t-il d'un ton charmant.

– OK, lui répond-elle, un soupçon de déception dans la voix.

*Mon premier slow, je vais le danser avec Félix et non le gars qui me plaît. C'est moche!*

Rapidement, Félix sent la tristesse de son amie. Il se met alors à plaisanter et à faire une chorégraphie caricaturale afin de la faire rire. Cette blague fonctionne instantanément. Un grand sourire apparaît sur les lèvres d'Alexane, qui oublie vite qu'Olivier se fait charmer par une autre fille.

Le faux Ronald McDonald fait tournoyer Alexane, qui, avec sa jupe aux genoux des années 1950, semble sur le point de s'envoler. Alors que la chanson finit, Alexane se retrouve la tête en bas, ce qui donne une finale grandiose. Avec un grand éclat de rire, elle se relève d'un coup sec, devant ses deux amies qui l'applaudissent.

– Quel couple vous faites! lance joyeusement Kristina.

– On n'est pas un couple, voyons! proteste Alex. Mais j'avoue qu'on danse bien ensemble.

– Bon, on doit partir, couvre-feu oblige! dit Olivier en interceptant Félix.

– Déjà? s'écrie ce dernier. OK! Vous venez voir la *game* demain?

– Pourquoi pas! accepte Alexane en haussant les épaules.

– Salut, les filles! À demain!

**\*\*\***

Les filles avaient convenu de se rejoindre à l'entrée de l'aréna avant le match. Rosyane dînait chez sa tante qui habite à côté de la patinoire. La maison de Kristina est à deux rues de là. C'est Alex qui avait le plus long trajet à faire à pied — une dizaine de minutes, tout au plus.

Les dernières journées d'octobre sont particulièrement froides cette année. Kristina frotte ses mains ensemble pour les réchauffer. Rosyane se joint à son amie quelques instants plus tard.

– Alex n'est pas avec toi? s'informe Kristina.

– Non, Tina… Elle n'est pas arrivée?

– Pas vue. Pourtant, on s'était bien dit

qu'on se retrouverait ici!

– Allez, on rentre. On se les gèle. Elle nous rejoindra en dedans.

– Je suis d'accord. Je vais lui envoyer un texto quand mes doigts auront dégelé, dit Kristina.

– Un texto?

– Ben oui! De mon cellulaire.

– Ça, j'avais compris. Mais Alex n'a pas de cellulaire...

– Ben oui.

Le silence de Rosyane laisse entendre qu'elle n'était pas au courant. Pourquoi sa meilleure amie lui a-t-elle caché qu'elle avait acheté un tel appareil? Pourtant, avant, les deux adolescentes partageaient tous leurs secrets. Maintenant, il semble y avoir un fossé qui se creuse entre elles... un fossé de mensonges.

Quelques minutes plus tard, Alexane

arrive enfin, alors que le match vient de débuter.

– Tu étais où? s'enquiert Kristina.

– Ah... c'est compliqué.

Alexane garde le silence sur les raisons de son retard. Alors qu'elle était sur le point de quitter la maison, ses parents se sont mis à se disputer dans le salon. Pour aller dans le vestibule, on doit passer par cette pièce. Elle n'avait pas le goût de s'immiscer dans les conflits de ses parents. Elle a donc attendu, en compagnie de Laurie, que la dispute se termine afin de pouvoir partir.

Alors qu'Alexane s'assoit à côté de sa meilleure amie, une sirène se fait entendre. L'équipe de Félix et Olivier vient de marquer un but. La foule applaudit l'équipe locale.

Du coin de l'œil, Alex aperçoit un gars dans les estrades portant le manteau des Kings. Pourtant habituée de suivre les matchs de son meilleur copain, c'est la première fois qu'elle le remarque. Elle donne un petit coup de coude à Rosyane.

– Tu le connais?

Pour seule réponse, Rosy hausse les épaules.

– C'est la première fois que je le vois, reprend Alex. Il joue dans l'équipe?

– J'imagine.

Rosyane fixe la glace, absorbée par le match. Elle se tourne alors vers Kristina :

– Tina, Olivier porte quel numéro?

– Le 22, je crois. Alexane le sait, elle. Demande-le-lui.

Mais Rosyane, encore insultée que sa meilleure amie ne lui ait pas dit qu'elle s'était acheté un cellulaire, boude. Elle évite de parler à Alexane depuis l'arrivée de celle-ci.

Alexane s'étire le cou afin de mieux voir l'étranger assis plus haut dans les estrades. Son regard croise le sien; elle sent alors la chaleur monter à ses joues. Elle baisse les yeux, intimidée.

– Il est vraiment *hot*, ce gars-là!

– Il semblait que tu n'avais d'yeux que pour Olivier? questionne Rosy.

– Ben oui, là... J'ai juste dit que je le trouve *cute*, soupire Alexane. Tu es ben bête!

– Je ne suis pas bête! C'est toi qui n'es pas branchée.

La réaction d'Alexane est instantanée. Son visage se ferme aussitôt et elle se concentre à nouveau sur la partie. *Qu'est-ce que je lui ai fait pour qu'elle me parle comme ça?* Après quelques minutes de silence, elle se tourne vers Rosy.

– Qu'est-ce qu'il y a? Je t'ai fait quelque chose? demande-t-elle à voix basse.

– Bah! Je suis tannée que tu me caches des choses!

– Je ne te cache rien, voyons! Tu es ma meilleure amie!

– Et ton nouveau cellulaire?

– Ah… ça…

Alexane le sort de sa poche, le tourne entre ses mains. Elle ne l'utilise pas beaucoup, car elle culpabilise à la simple vue de l'objet.

– Tu ne dis rien? attaque Rosy.

– Je n'ai pas d'excuse… Je me sens mal, car mes parents m'avaient interdit d'acheter un cellulaire, confesse-t-elle.

– Je vois…

L'équipe adverse riposte avant la fin de la période. C'est maintenant 1 à 1.

– Viens, je te paie un chocolat chaud, dit Alex à son amie pour se faire pardonner.

Désolée, je ne suis pas très fine avec toi ces temps-ci.

Alors que les deux complices attendent en file au comptoir, l'inconnu au manteau à l'effigie des Kings avance à pas de tortue à côté d'un homme qui semble être son père. Il marche lentement, car il a une jambe dans le plâtre. Alexane lui lance un sourire timide et se retourne aussitôt. Au même moment, Kristina, qui a aperçu l'échange de regards, rejoint ses amies.

– Tu le connais? lance-t-elle.

– Non... C'est qui?

– Maxime.

– Comment tu le sais?

– Je l'ai vu sur la manche de son manteau tantôt.

– Hi, hi, hi! rigole nerveusement Alexane.

– Je crois qu'il va à l'école Lac-des-Sables, renchérit-elle. En deuxième secondaire si je ne me trompe pas.

– Ah ouin… Je ne l'avais jamais remarqué.

Pendant le reste du match, Alexane ne peut s'empêcher de regarder par-dessus son épaule et de jeter des regards furtifs vers ce Maxime. Elle sent qu'il regarde dans sa direction, mais elle ne pourrait pas parier que ses yeux plongent vers elle en particulier. Lorsque la partie se termine, les filles se dirigent vers le restaurant. Mais le jeune inconnu a disparu.

# 8. De mal en pis

Depuis deux semaines, chaque matin, Alexane a des maux de ventre au réveil. Elle a même manqué cinq jours d'école depuis le début du mois de novembre, sous prétexte que ces crampes l'empêchent de se lever. Elle est étendue entre ses draps gris et peine à se lever. Couchée sur le côté gauche, elle se blottit en position fœtale, espérant que la douleur passera.

Sa mère entre dans sa chambre, lui ordonnant de se lever au plus vite. Alex ne bouge pas d'un poil, la suppliant de sortir et de la laisser tranquille.

– Il faudra aller à l'urgence si ça persiste, l'avertit sa mère.

– Mom! Je ne veux pas aller à l'hôpital. Si je me repose, ça va passer.

– Alex, ça n'a aucun bon sens. Soit tu vas à l'école, soit on va à l'urgence!

– OK! Je me lève... soupire-t-elle.

L'adolescente se regarde longuement dans le miroir de la salle de bain. Elle a de gros nœuds dans les cheveux et ses yeux sont fatigués et tristes. Elle glisse la brosse dans ses cheveux, attrape un élastique et les attache en un chignon négligé. Elle relâche son souffle, découragée par le reflet que lui renvoie la glace. *Je suis nulle; tellement qu'aucun gars ne s'intéresse à moi. Et je parie que Pénélope se fera un plaisir de m'humilier encore une fois. Câlique que je suis tannée!*

– C'est vendredi, dernière journée, lance-t-elle pour s'encourager.

– Sors-tu de là? hurle Maïka de l'autre côté de la porte. Tu n'es pas toute seule dans cette maison!

Alexane sort, lui jette un regard sévère. Puis elle disparaît dans la pièce adjacente à la salle de bain, en refermant la porte bruyamment.

– Qu'est-ce qu'elle a? marmonne Maïka pour elle-même puisqu'il n'y a personne pour lui répondre.

À la table, Sonia déjeune avec Laurie; elles discutent tranquillement des plans de la fin de semaine. S'efforçant de sourire, la plus jeune de la famille se joint à elles.

– Allô! Où est papa?

– Déjà parti. Il était sur la route aujourd'hui.

Se versant un verre de lait pendant que sa rôtie dore dans le grille-pain, Alexane contemple la fenêtre.

– Ouache!... Il neige!

– Normal, en novembre.

– Ouais, je sais.

Alexane engouffre son déjeuner rapidement en silence. Lorsqu'elle termine, elle déclare :

– Je pars avec Rosy ce matin. À plus, Lau, ajoute-t-elle en déposant son assiette dans le lavabo.

Puis elle se tourne vers sa mère.

– Mom? Ce soir, Kristina fait une soirée cinéma chez elle. Est-ce que je peux rentrer vers dix heures et demie?

– O.K. Appelle-moi, j'irai te chercher.

– Merci! lance-t-elle avant de l'embrasser sur la joue.

Elle quitte la maison après avoir enfilé son manteau gris et ses bottes hautes.

Le corridor est bondé en ce vendredi matin 17 novembre. Alexane se fraie un chemin pour atteindre son casier. Alors qu'elle est à quelques mètres d'y arriver, elle voit Pénélope, le dos appuyé contre la case numéro 324. Le casier d'Alexane. Les mains de cette dernière se mettent à trembler; elle hésite entre changer de direction ou essayer de disparaître en dessous de la peinture orange qui couvre les murs. Comme je ne connais aucun tour de magie, encore moins celui de me faire disparaître, je n'ai pas le choix de continuer.

Si elle ne va pas chercher ses livres immédiatement, elle sera en retard pour son premier cours. Et Josée, l'enseignante de géographie, est vraiment sévère.

Alexane ne veut surtout pas faire face à Pénélope ce matin. Vous me comprenez certainement! Je n'ai vraiment pas le goût de me faire achaler ce matin. Elle ne m'a pas lâchée de la semaine. Elle m'a poussée et crié des noms dès que j'étais dans son rayon. Elle aime aussi parler contre moi, comme si je n'étais pas là. Et dans ce temps-là, j'aimerais être ailleurs parce que ses propos sont réellement blessants.

– Ouch! s'écrie Alexane.

Pénélope vient de la frapper d'un bon coup d'épaule. Elle profite de ce moment où Alex est seule en compagnie de Rosyane pour attaquer, sachant très bien qu'elles ne réagiront pas. Ce matin, elle s'en donne à cœur joie lorsqu'elle voit Alexane en compagnie de sa frêle amie.

En coup de vent, Maïka arrive derrière Pénélope. Elle a surgi de nulle part. Elle donne un petit coup sur l'épaule de Pénélope, qui se retourne.

– Qu'est-ce que tu veux?

Dans un élan que personne n'a vu venir, Maïka, de toutes ses forces, bouscule Pénélope.

– C'est assez! Lâche ma sœur.

Et de façon impromptue, le poing de Maïka se dirige droit sur le visage de Pénélope. Sans même prendre le temps de constater les dégâts, Maïka attrape le bras de sa petite sœur et la conduit devant son casier. Pénélope tente de réagir, mais elle est trop abasourdie par le coup qu'elle vient de recevoir en pleine poire.

– Elle devrait te foutre patience, maintenant... Si jamais elle te touche encore, elle aura affaire à moi. C'est assez!

Alexane s'appuie contre la porte de son casier, visiblement ébranlée par la réaction de sa sœur. Après avoir passé une main amicale sur la tête de sa benjamine, Maïka va rejoindre une amie.

Rosyane regarde sa meilleure amie d'un air hébété. Les deux adolescentes sont bouche bée. Elles ne trouvent pas de mots pour commenter ce qui vient de se produire. Alex referme son casier et annonce qu'elle doit se rendre aux toilettes.

Tel un zombie, elle marche d'un pas lent jusqu'à la salle de bain des filles.

Alors qu'elle est à quelques mètres de la porte, le regard d'Alexane croise celui de Pénélope au loin. Cette dernière se dépêche de tourner la tête et continue son chemin comme si elle n'avait jamais vu Alex auparavant. Avec un grand soupir de soulagement, Alexane s'enferme dans la première cabine des toilettes. La cloche résonne au même moment.

Des larmes coulent à travers le sourire d'Alex. Elle a peine à croire que l'intervention de sa sœur mettra fin au calvaire qu'elle endure depuis plusieurs semaines. Alexane s'essuie les yeux avec du papier et prend une longue respiration. *Eh bien! J'ignorais que Maïka était au courant que Pénélope ne me lâchait pas! Et je n'en reviens pas qu'elle l'ait tapochée pour me défendre!*

Alexane sort de la cabine, s'examine dans le miroir. Puis elle rejoint son amie qui l'attend dans le couloir bordé de casiers. Félix, Olivier et Kristina se sont joints à elle. Alexane déploie son plus beau sourire et s'approche d'eux.

– Allez, on va être en retard!

Au même moment, un message est transmis à l'interphone. « Maïka Lafontaine est demandée au secrétariat. Maïka Lafontaine. »

Le nom résonne dans la tête d'Alexane. Est-ce qu'un professeur a été témoin du coup de poing? Inquiète, Alexane se dirige d'un pas rapide vers le secrétariat avant de se rendre au local de géographie. Elle se glisse le long du corridor, espérant repérer Maïka. Elle entrevoit sa sœur, assise dans le bureau du directeur. Sur la chaise à côté d'elle se trouve Pénélope, l'œil amoché.

**\*\*\***

– ALEX! Viens ici immédiatement!

La voix de Sonia retentit dans la maison. Le hurlement prouve que sa mère est fâchée. Très fâchée. Alexane n'ose pas sortir de sa chambre, sachant très bien qu'elle se fera engueuler. Mais elle ignore pourquoi.

– ALEXANE LAFONTAINE! crie à nouveau sa mère.

Laurie cogne à la porte de la chambre d'Alexane et l'ouvre sans même laisser le temps à sa sœur de répondre.

– Maman veut te voir...

– Je sais, je ne suis pas sourde... Tout le voisinage doit l'avoir entendue. Qu'est-ce qu'il y a? Je n'ai rien fait!

– Aucune idée, mais tu es mieux d'y aller.

La veille, Sonia a reçu un appel de l'école. Le directeur voulait discuter avec elle et Christian du comportement violent de Maïka. Comme il s'agissait d'un premier écart de sa part, l'adolescente ne sera pas suspendue. Mais elle devra faire des heures de retenue. En plus, durant le week-end, Laurie a fait part à ses parents de son désir de partir en septembre prochain. La nouvelle a causé toute une commotion. Cette semaine donc, Sonia n'est pas d'humeur.

Alexane monte les escaliers à pas de tortue, effrayée. Sa mère est debout et l'attend de pied ferme dans le salon. Elle tient un petit cellulaire rose à la main. Les yeux de la benjamine s'écarquillent; elle sait qu'elle est dans le pétrin.

Silencieusement, elle arrive à la hauteur de sa mère. Honteuse, elle baisse le regard, attendant le discours moralisateur.

– C'est quoi, ça?

– ...

– Je t'ai posé une question. C'est quoi, ça?

– Ben... un cellulaire.

– Et à qui appartient-il?

Avant de sermonner ses filles, Sonia entame toujours ce petit jeu-questionnaire qui énerve royalement Alex et ses sœurs. Comme si elle voulait faire durer l'humiliation.

– À moi, bredouille Alexane.

– À qui as-tu dit?

– À moi, répète l'adolescente plus clairement. Où l'as-tu trouvé?

– La question n'est pas là! Je crois que je n'ai pas besoin d'en dire plus. Je le garde. Et en plus, tu es privée de sortie pour la semaine. Et pas d'ordinateur. Tu utiliseras ton temps libre pour réfléchir. Et quand ton père reviendra, on reparlera de tout ça. Retourne dans ta chambre maintenant.

– Mais maman...

– Alex, n'aggrave pas ton cas. Disparais

de ma vue immédiatement! grince-t-elle entre ses dents.

La benjamine retourne au sous-sol, les yeux remplis d'eau. Au lieu de se diriger vers sa chambre, elle se rend à celle de sa sœur aînée.

– Pourquoi tu m'as « stooler » aux parents?

– De quoi tu parles?

– De mon cellulaire! Ne fais pas comme si tu ne savais rien! Pas capable de garder un secret, hein? Je croyais qu'on était solidaires! Ben non! Madame la parfaite devait absolument me dénoncer aux parents. Tu es détestable, tu sais!

Laurie reste perplexe. Elle regarde autour d'elle, comme si elle cherchait une réplique au vol. Après un instant de silence lourd, elle finit par répondre.

– As-tu fini ta crise, grand bébé? Je ne t'ai pas vendue, tu sauras! Si tu étais plus ordonnée, maman n'aurait jamais mis la main sur ton cellulaire. Et si tu n'avais pas désobéi au départ, rien de tout ça ne serait arrivé. Je te l'avais dit aussi...

– Pas besoin de tes sermons d'aînée! hurle Alexane en claquant la porte de la chambre de sa sœur.

Alexane s'enferme dans sa chambre. Elle espère que lorsque son père arrivera, il ne l'engueulera pas lui aussi. Elle empoigne le téléphone et se dépêche de composer le numéro de Félix. *Lui, au moins, il ne me fera pas la morale!*

– Je suis punie... Je ne pourrai pas aller vous voir jouer en fin de semaine.

– Qu'est-ce que tu as fait?

– J'ai... désobéi.

– Je m'en doute! Mais qu'est-ce qui s'est passé?

– Tu sais, le cell que j'ai depuis quelques

**156**

semaines... eh bien je l'ai acheté à l'insu de mes parents.

– Mais ce n'est pas si grave, il me semble!

– Si ma mère ne m'avait pas interdit d'en acheter un, tu aurais raison.

– Oh!

– Ouais, oh! Elle bouillait de colère. Je me suis fait engueuler d'aplomb.

– Et la punition?

– Pour l'instant, pas de sorties, pas d'ordinateur pour la semaine...

– Pour l'instant?

– Mon père n'est pas encore au courant.

– Ouin...

Pendant près d'une heure, les deux amis discutent, ce qui permet à Alexane d'oublier ses soucis. Seul Félix sait lui remonter le moral ainsi. Et elle en a besoin, car la semaine lui semblera très longue...

# 9. Sur un nuage

C'est ce samedi 25 novembre que la punition d'Alexane prend fin, au grand soulagement de l'adolescente. Depuis une semaine, elle devait rentrer directement à la maison après son cours de danse et ses entraînements de volleyball. Le week-end a paru durer une éternité puisqu'elle se sentait comme une prisonnière à la maison. « Interdiction de sortir » : le message de son père avait été sans équivoque. Et elle ne pouvait même pas approcher l'ordinateur. Elle s'était donc plongée dans ses devoirs et avait étudié pour son examen – ce qui en avait valu la peine, car elle avait obtenu une note de 96 %. Ses parents se sont fait d'ailleurs un plaisir de lui souligner que si elle prenait le temps d'étudier, elle pourrait certainement avoir une moyenne générale comparable à celle de sa sœur Laurie. Ce que je déteste me faire comparer à ma sœur aînée! Mes parents passent leur temps à nous comparer toutes les trois! Comme si on avait toutes été faites dans le même moule. Mais non! Nous sommes si différentes... Et sincèrement, je n'ai pas l'intention de passer toutes mes fins de semaine dans mes livres!

Surtout qu'aujourd'hui, toute la *gang* avait prévu aller à la maison des jeunes pour le tournoi de Xbox. Le premier prix? Cent dollars, ce qui est très alléchant.

Accompagnée de ses deux fidèles amies Rosyane et Kristina, Alexane attend l'ouverture de La Piaule. Elles sont assises dans les escaliers de l'édifice, bravant le froid. L'animatrice est en retard. D'autres jeunes arrivent à leur tour.

– Qu'est-ce qui se passe? lance Félix.

– Caroline n'est pas arrivée! Et il fait si froid! se plaint Kristina.

Alors que Roysane et Kristina tentent de se réchauffer les mains mutuellement, Alex aperçoit Maxime, le fameux gars qu'elle a vu à l'aréna quelques semaines plus tôt. Son cœur se met à battre à une vitesse folle. Il s'approche de Félix, lui donne une poignée de main.

– Hé! Ça va, Dup? lui lance-t-il tout en esquissant un petit geste de la tête pour replacer sa mèche brune sur son front.

– Salut! répond Félix. Tu vas mieux à ce que je vois, l'estropié! rigole-t-il.

– Ouep! Mon plâtre est enfin enlevé. Je capotais! Le plus long mois de ma vie!

Olivier s'approche des deux gars et se mêle à la conversation.

– Bien content que tu puisses revenir au jeu! dit-il en tapant sur l'épaule de son copain.

– Moi aussi, tu n'as pas idée!

Alexane regarde les gars discuter. Elle aimerait se joindre à la conversation, mais elle en est incapable. Elle est subjuguée par Maxime et ses yeux bleus, sa chevelure châtaine légèrement bouclée, sa carrure sportive. Sa seule présence la fait rougir. Elle sent son visage s'enflammer lorsque son regard rencontre le sien.

– Tu penses qu'il est arrivé quelque chose à Caroline? s'inquiète Rosy.

Sa meilleure amie n'entend même pas sa remarque. Elle contemple le nouveau venu, intimidée.

– Allo? La terre appelle Alex! La réception semble mauvaise… blague Rosy en passant une main devant les yeux d'Alexane.

– Euh… quoi?

Rosy chuchote à son oreille :

– Ah! Tu ne devrais pas t'accrocher ainsi à Oli. Tu te fais de la peine pour rien…

– Oli qui?

Rosyane fronce les yeux, surprise.

– Tu me niaises là?

Alexane sort enfin de la brume et répond à sa copine.

– Non, non! proteste-t-elle. Ne t'inquiète pas, je ne me briserai pas le cœur avec Olivier. J'ai bien compris qu'il ne veut pas de blonde, ajoute-t-elle avant de replonger dans le silence, ce qui laisse Rosy perplexe.

Les cheveux en bataille et essoufflée, Caroline arrive enfin, la clé du local en main.

– Désolée! Mon auto m'a fait faux bond! J'ai dû venir à pied, se justifie-t-elle en essayant de reprendre son souffle. Allez, entrez avant de mourir gelés!

L'attroupement d'adolescents se bouscule pour se diriger vers la chaleur. Sans s'en apercevoir, l'épaule d'Alexane heurte celle de Maxime. Du même coup, elle sent un doux parfum lui remonter aux narines.

– Oups… Désolée… s'excuse-t-elle en rougissant à nouveau.

– Ne t'avise pas de recommencer, plaisante-t-il.

– Je… je…

– Je te niaise, voyons! s'exclame-t-il. Tu es Alexane, non? L'amie de Félix?

– Ben… euh… oui! balbutie-t-elle.

*Que je suis idiote! J'ai l'air de ne pas me rappeler de mon propre nom!*

– Tu t'appelles comment, toi? s'enquiert Alex, feignant de ne pas savoir son nom.

– Maxime! Je suis dans l'équipe des Kings… Tu étais à l'aréna lors de notre dernier match, non?

– Oui, répond-elle en rougissant davantage, si c'est possible.

Alex le fixe dans les yeux, incapable de

**164**

décrocher son regard du sien. Ses mains sont moites, ses jambes sont molles : jamais un gars lui a fait autant d'effet. Tout le monde étant entré dans le local, il ne reste que Maxime et Alexane dans l'entrée.

– Je me demande pourquoi on ne s'est jamais vus?

– Je... je... Bonne question! bégaie-t-elle. Où tu restes?

– À Lac-des-Sables. Et je vais à l'école Saint-Michel.

Lac-des-Sables est à vingt minutes de voiture de Mont-Lazard. D'ailleurs, la tante d'Alexane habite tout près.

– Ah! C'est pour ça! Et vous n'avez pas une maison des jeunes dans ton village?

– Non... elle a fermé l'été dernier. Pas assez de jeunes.

– Alors tu as décidé de venir dans la grande ville de Mont-Lazard, ironise-t-elle.

– Ha, ha!

C'est alors que Kristina intervient. Postée sur le seuil de la pièce principale de la maison des jeunes, elle lance :

– Hé! Alex, qu'est-ce que tu fais?

– J'arrive, se hâte-t-elle de dire.

Kristina s'approche de Maxime, afin de se présenter officiellement. Alexane remarque qu'elle fait les yeux doux au joli garçon. Alex foudroie son amie du regard, question de lui faire comprendre de disparaître maintenant.

– Je retourne voir les autres, moi! On t'attend, Alex, alors déniaise! annonce Kristina.

Le moment électrisant ayant été inter-rompu, Alexane a eu le temps de retrouver un peu de cohérence dans ses propos.

– Est-ce que tu t'es inscrit au tournoi de Xbox?

– Non... Je ne suis pas très bon dans ces affaires-là! Je manie mieux la rondelle que la manette!

– Hi, hi! Je vois! Je ne suis pas si bonne que ça non plus. Mais dans les jeux de danse, j'ai une chance!

Alexane voudrait étirer le temps et ne pas aller rejoindre ses amis. Elle aimerait connaître davantage cet inconnu pour qui son cœur fait déjà des pirouettes. Comme si Maxime avait lu dans ses pensées, il propose :

– Tu veux quelque chose à boire?

Il se dirige vers la machine distributrice au fond du couloir, insère de la monnaie et laisse tomber une première cannette. Alexane s'approche, montre du doigt une bouteille de jus. Quelques secondes plus tard, celle-ci tombe à son tour. Alex et Maxime retournent tous les deux vers l'entrée et s'assoient dans l'escalier à côté de la porte du local. Ils sont suffisamment cachés pour que personne ne puisse les voir de La Piaule. La bâtisse abrite des bureaux, qui sont évidemment fermés pendant la fin de semaine, ce qui explique le calme qui règne dans le hall.

Pendant plusieurs minutes, Maxime et Alexane discutent de tout et de rien. Ils apprennent à se connaître entre deux gorgées de leur boisson. Le temps semble figé, jusqu'à ce que Félix finisse par venir interrompre la discussion.

– Vous faites quoi?

– Alexane ne se sentait pas super bien... On s'en vient, invente Maxime.

– OK! accepte Félix sans poser davantage de questions.

Leur ami commun retourne aussitôt au local. Alex se dépêche d'interroger Maxime :

– Pourquoi tu lui as dit ça?

– Tu as vraiment le goût de te faire écœurer par tout le monde en entrant dans le local? Quand j'ai rencontré mon ancienne blonde, c'est terrible ce que les autres ont pu émettre comme commentaires! Fais-moi confiance. Hé! Mais que veut-il dire par là? Est-ce que ça veut dire qu'il croit qu'on va sortir ensemble?

Alexane baisse la tête, ne sachant quoi répondre. Il a déjà eu une blonde? Ça fait longtemps? Combien de temps est-ce que ç'a duré?

Une tonne de questions se bousculent dans sa tête, mais aucune n'ose franchir ses lèvres. Elle se contente de sourire et de dire en se levant :

– Alors, on rejoint les autres?

L'après-midi passe à toute vitesse. Avant l'heure du souper, La Piaule commence à se vider. Rosyane consulte sa montre et fait signe à son amie :

– Il faut partir, Alex.

Les deux filles enfilent leur manteau.

Alexane jette un regard vers Maxime. Elle espère qu'il viendra la saluer. Malheureusement, il joue au pool et semble concentré.

– Zut... marmonne-t-elle.

– Va le voir! chuchote Rosy. Si c'est seulement pour lui dire « bye », il n'y a rien là.

– Je sais, répond-elle à voix basse. Mais il me fait ca-po-ter!

Les filles regardent en direction de la table de billard. C'est alors qu'Alex repère Kristina près de Maxime. Elle pose une main sur son bras, lui parle de très près...

– Ah! la bazouelle! rage Alex.

Rosyane donne une poussée à son amie.

– Allez, vas-y avant qu'elle te le pique!

Ce commentaire donne une poussée d'adrénaline à Alexane. D'un pas ferme, elle se dirige vers les gars.

– On s'en va, Rosy et moi! À la prochaine,

dit-elle en plongeant son regard dans celui de Maxime.

– Tu pars déjà? demande-t-il en faisant un pas vers elle, délaissant Kristina.

– Oui. Mes parents m'attendent pour souper.

– Oh! Je dois partir moi aussi! Bye, les gars! dit Maxime. Tu m'attends? ajoute-t-il à l'intention d'Alexane.

– Bien sûr!

Il attrape son manteau, compose un numéro sur son cellulaire.

– *Dad?* Tu peux venir me chercher? Oui... Merci!

Il raccroche de façon expéditive, sourit à Alexane.

– Hum!... fait-il avant de se râcler la gorge. Je peux avoir ton numéro de téléphone?

Il ajoute le numéro d'Alexane dans son

cellulaire. J'ai l'air nouille! Mais je suis si heureuse que mon sourire idiot reste accroché à mes lèvres. S'il conserve mon numéro, c'est qu'il a vraiment l'intention de m'appeler! YÉ!

– Je peux te poser une dernière question? demande-t-il, le regard rivé au sol, tentant de cacher une certaine gêne.

Alexane non plus n'ose pas le regarder, de peur que tout s'arrête, comme à la fin d'un rêve.

– Tu aimerais aller au cinéma un de ces quatre?

– Ouais... répond-elle le plus calmement qu'elle le peut.

Un long silence passe. Puis Rosy s'adresse à Alexane :

– On y va! Je suis en retard!

– OK! répond-elle. Alors, tu m'appelles? ajoute-t-elle en se tournant vers Maxime.

– C'est certain.

Le soir même, à huit heures, la sonnerie du téléphone retentit dans la maison des Lafontaine. Laurie cogne à la porte de la chambre de la benjamine.

– C'est pour toi, Alex.

– C'est qui? s'informe-t-elle à voix basse.

Laurie hausse les épaules.

– Un gars.

Maxime est au bout du fil. Pendant plus d'une heure, ils discutent au téléphone. Alexane se laisse charmer par ce joueur de hockey au regard profond.

**\*\*\***

Lorsque Alexane entre dans le salon, tout est étrangement silencieux pour un dimanche soir.

– Allô? Il y a quelqu'un? Maïka? Laurie?

Aucune réponse. Alexane s'approche de la chambre de Maïka. Elle entend la musique hurler à tue-tête. Elle est bien là. La jeune Lafontaine fait quelques pas vers l'autre pièce. Elle cogne deux petits coups. Personne ne lui répond, mais Alexane sait que sa sœur aînée est dans sa chambre, parce que sinon, la porte serait ouverte, comme toujours lorsqu'elle est absente.

– Laurie? murmure-t-elle en ouvrant délicatement la porte.

Lorsqu'elle passe la tête dans l'embrasure, elle aperçoit sa sœur couchée en boule sur son lit. Comme d'habitude, cette chambre est impeccable. Seules

les couvertures du lit sont quelque peu déplacées. Les yeux de Laurie sont bouffis, sa lèvre inférieure tremble.

– Lau... Ça va? Qu'est-ce qui se passe?

Alexane a rarement vu sa sœur pleurer. Laurie est plutôt du genre à cacher ses émotions. Même quand leurs parents se disputent, elle garde le visage fermé et vient à la rescousse de ses sœurs. De la voir ainsi étendue sur son lit, mouchoir à la main, trouble Alex. Celle-ci s'assoit sur la douillette turquoise et passe une main dans les cheveux de son aînée. Ce geste est inhabituel pour Alexane puisque c'est normalement Laurie qui agit ainsi pour la réconforter.

– Sis... qu'est-ce qu'il y a?

Laurie se remet à pleurer de plus belle. Alexane est désemparée. Elle ne sait comment réagir, ni quelles questions poser.

– Parle-moi.

– C'est Samuel.

– Samuel... C'est qui, lui?

– C'est le nouveau *chum* de Magalie.

L'amie d'enfance de Laurie, Magalie Dumont. Elles se connaissent depuis la deuxième année, lorsque la famille Dumont a déménagé à Mont-Lazard. Elles sont inséparables, de la même façon que Rosyane et Alexane le sont. Mais je ne comprends pas pourquoi le fait que Magalie soit avec Samuel fasse pleurer Laurie.

Le regard interrogateur d'Alexane invite Laurie à continuer. Celle-ci s'exécute, entre deux sanglots.

– La semaine passée, Samuel m'a embrassée. Il y a avait une soirée chez Lily. Le lendemain, il m'a dit que c'était une erreur. Hier, Magalie m'a appelée pour me dire que Sam et elle ont été au cinéma et que maintenant, c'est son *chum*.

Ma sœur, en peine d'amour? Je pensais qu'elle était au-dessus de ça, l'amour. J'étais sûre que l'école était plus importante, que le travail passait avant, et que finalement, l'amour ne représentait rien pour elle. Je me suis fourvoyée d'aplomb!

Laurie enfonce son visage dans l'oreiller blanc. Son mascara a coulé sur le tissu humide.

C'est impossible qu'elle ait autant de peine à cause d'un gars. C'est la première fois que je vois ma sœur aussi abattue.

– Lau... Est-ce qu'il y a autre chose que tu ne me dis pas? ose demander Alex.

Avec un effort considérable, Laurie tente de contenir ses larmes.

– J'ai traité Mag de tous les noms. Elle ne veut plus me parler. Et je la comprends.

– Elle va se calmer, voyons! Elle ne balayera pas près de dix ans d'amitié pour un gars...

– Je ne sais pas. Elle ne m'a pas adressé la parole aujourd'hui. Elle m'a même ignorée comme si elle ne me connaissait pas. Je capote.

Alexane se lève, passe une main dans les cheveux de sa sœur. Elle chuchote : « Je reviens », avant de sortir de la pièce. Elle se dirige vers le salon, attrape le téléphone sans fil et revient au pas de course dans la chambre du fond.

– Tiens, appelle-la, ordonne Alex.

Laurie est surprise du ton utilisé par sa petite sœur, son bébé. Alex se montre rarement aussi autoritaire, surtout avec elle. *C'est le monde à l'envers! Mais je suis certaine que c'est le conseil que Laurie m'aurait donné si j'avais été dans une situation similaire.*

– Je ne peux pas. Les choses horribles que je lui ai dites... Même moi, je ne me pardonnerais pas si j'étais à sa place!

– Magalie est ton amie. Je suis sûre que

si tu lui expliques tout, elle va comprendre.

– Oui, mais si je lui dis tout, elle va plaquer Samuel, c'est certain. Elle ne sait pas qu'il m'a embrassée la semaine dernière.

– Tu ne le lui avais pas dit…

– Non.

– Pourquoi?

– Je ne sais pas, répond Laurie en haussant les épaules. Je devais me douter que ça se passerait mal. Et si Mag croit que j'invente tout ça seulement pour briser son couple?

– Tu devrais faire confiance au bon sens de Magalie…

– Depuis quand tu philosophes ainsi, la jeune? lance Laurie sur un ton plus calme.

– Je crois que j'ai une bonne prof, complimente Alexane, qui accompagne sa réplique d'un clin d'œil. Allez, appelle Magalie, ajoute-t-elle en se levant.

# 10. Tant pis pour lui

Au moment où Alexane s'assoit à la cafétéria avec ses amis, elle surprend la conversation entre Félix et Kristina.

– Maxime… est-ce qu'il a une blonde?

– Pas à ce que je sache. Pourquoi, il t'intéresse? demande Félix candidement.

– Il est pas mal *cute*…

Mal à l'aise, Alexane n'ose pas lancer, devant tout le monde, qu'elle a rendez-vous avec le beau Maxime le vendredi suivant.

– Vous autres, les filles, vous pensez tout le temps à ça, l'amour! grimace Olivier.

– Voyons, Oli! Ne me fais pas croire que

tu ne trouves pas certaines filles de ton goût? questionne Kristina.

– Non, vraiment pas! rougit Olivier en jetant un coup d'œil à Rosyane, qui, concentrée, mange son muffin aux bleuets.

Alexane a pris place à côté de Kristina et elle le regrette déjà. Kristina se retourne vers elle et lui lance :

– Et toi, Alex? Ton avis?

– Moi... je n'ai rien à dire.

Je déteste quand Kristina tente de m'immiscer ainsi dans les conversations. Surtout quand c'est pour tirer les vers du nez à quelqu'un. Elle n'a aucune raison d'achaler Olivier.

– Qu'est-ce que tu as fait hier? interroge Félix pour faire dévier la conversation.

– Bah! Tranquille... Mes parents trouvent qu'on n'est pas assez souvent à la maison. On a donc passé du temps en famille.

– Passionnant!

Félix s'approche de l'oreille de son amie et ajoute à voix basse :

– Maxime ne te lâchait pas samedi, il me semble...

Alexane baisse les yeux, puis elle hoche la tête de gauche à droite.

– Tu dis n'importe quoi. Il est simplement gentil avec tout le monde, réplique-t-elle sur le même ton.

– Fais attention. Il est bon pour entour-louper les filles.

– De quoi tu parles? demande sèche-ment Alexane.

– Avec son ex, ç'a mal fini. Il paraît qu'il l'a laissée pour une autre, explique Félix.

*Mais pourquoi il me parle de son ex?*

– Bon, je dois y aller. Tu viens, Rosy? lance Alexane pour mettre fin à la discussion.

Sa meilleure amie se lève en ramassant les restants de sa collation et la suit.

– Ça va? Tu as l'air en rogne... C'est à cause de Maxime? demande-t-elle alors qu'elles s'éloignent de la table.

Rosyane parle peu mais elle entend tout, et surtout, elle remarque tout. Elle a vu que les propos de Félix ont piqué son amie. D'ailleurs, Rosy est la seule à qui Alex a parlé de son nouveau prétendant.

– Pourquoi Félix ne se mêle pas de ses affaires?! Il est gentil, Maxime, je l'aime bien moi!

– Je ne sais pas. Mais je peux enquêter pour toi, si tu veux!

**\*\*\***

Bien calée dans le fauteuil, Alexane est dans les vapes. Maxime hante ses pensées. Elle ne songe qu'à une seule chose : le revoir le plus vite possible. Mais comment faire? Finalement, il ne pourra pas l'accompagner au cinéma vendredi soir, car il a un souper familial. Comme il habite dans un village voisin, Alex doute que son père ou sa mère veuille la conduire chez le garçon. Sinon, elle peut toujours aller le voir à l'aréna, mais à la vue de tout le monde... Ça ne me dit vraiment pas que mes amies soient là quand je le reverrai! Surtout en présence de Félix! Il agit drôlement avec moi ces temps-ci.

– Tu as l'air dans la lune, la jeune! lance Maïka en prenant place à ses côtés.

– Un peu...

– À voir ton air, ça doit être à cause d'un gars!

Dans le mille, la sœur.

– Ouin. Un peu.

– Comment il s'appelle? s'inquiert Maïka.

– Maxime. Il est tellement *hot!* s'exclame Alexane, contente de pouvoir partager ce qu'elle vit avec sa sœur.

– Tant que ça?

– Oui! Il n'a rien à voir avec les gars de notre école!

– Ah... Premier problème en vue... il reste loin?

– Oui, à Lac-des-Sables. Mais ce n'est pas ça le pire.

– Ah non?

– Nop! C'est Félix.

Maïka fait un signe de tête pour

montrer à sa petite sœur qu'elle l'écoute attentivement, l'invitant ainsi à continuer.

– Il me dit de me méfier de Maxime. Il pense qu'il va me faire de la peine, il dit que c'est un *player*.

– Ah oui? Et toi, tu en penses quoi?

Alexane affiche un air surpris. Son avis? Elle ne pense pas que Maxime soit un *player*. Il est gentil, attentionné, généreux...

– Je crois que c'est un bon gars.

– Est-ce possible que Félix soit jaloux?

– Jaloux? Pourquoi? Félix sera toujours mon ami, voyons! proteste l'adolescente.

– C'est peut-être ça le problème.

*En quoi notre amitié peut-elle être un problème? Je ne négligerai pas Félix à cause de Maxime. Je peux avoir un amoureux et avoir des amis en même temps, moi!*

– Je ne comprends pas! s'entête Alexane.

– Allume, Alex. Peut-être que Félix est amoureux de toi!

– Ben non! Ça ne se peut pas!

– Tu en es certaine?

Alexane reste silencieuse. Félix, amoureux d'elle? Elle n'a jamais envisagé cette possibilité. Ils sont amis depuis si longtemps! C'est comme le frère qu'elle n'a pas eu. Il ne peut pas y avoir une relation amoureuse entre eux.

Alexane profite de ce moment de confidence pour aborder un autre sujet délicat avec sa sœur.

– Je peux te poser une question indiscrète? demande-t-elle.

– Bien sûr! Mais je ne sais pas si je vais pouvoir te répondre.

– Eh bien... C'est comment embrasser

un gars? fait-elle en rougissant.

– Oh! LA question! rigole Maïka. Hum! Comment je pourrais bien t'expliquer?...

Alexane est suspendue aux lèvres de sa sœur, attendant que celle-ci lui donne l'information qui lui permettra de ne pas avoir l'air folle devant Maxime, si jamais il décide de l'embrasser... Comme Rosyane est aussi novice qu'elle dans ce domaine, les deux filles n'ont aucun point de référence. Et pas question d'en parler avec Kristina. Oh non! Elle se montrerait condescendante. *Je l'entends déjà me dire : « Oh, c'est vrai! Vous n'avez jamais eu de chums, vous autres. » Autant Tina peut être super sympa, autant elle peut être exaspérante parfois.*

– Je te dirais qu'embrasser un gars, ça crée une tonne de petits papillons qui s'entrechoquent dans ton ventre... indique Maïka.

*Je crois que je comprends ce qu'elle veut dire. Car dès que Maxime est dans les parages, je ressens cette* sensation dans mon ventre. Qu'est-ce que ce sera quand il m'embrassera?

– Et… je fais comment? souhaite savoir Alexane.

Maïka éclate de rire malgré elle.

– Ah! S'il y avait une méthode ou une recette, je te la dirais! Mais le seul conseil que je peux te donner, c'est de prendre ton temps. Vas-y en douceur. Tu vas voir, tout va bien aller…

– Tu as raison. Mais je suis nerveuse… Lui, il a déjà eu une blonde. Qu'il a sûrement déjà embrassée.

– Ne t'en fais pas. Si c'est un bon gars, il te guidera…

Alexane sourit timidement. Ce qu'elle peut être chouette Maïka, quand elle n'essaie pas de montrer à tout le monde qu'elle est *tough*.

– Et je te conseille de parler à Félix si tu tiens à son amitié. Ce serait vraiment poche que tu lui fasses de la peine.

Alexane lâche un soupir d'exaspération. Et si Maïka avait raison? Que doit-elle faire? Affronter Félix ou bien éviter le problème et faire comme si de rien n'était? *De toute façon, je ne sors pas encore avec Maxime. Qui sait, peut-être qu'il n'est même pas intéressé que je sois sa blonde. Si c'est le cas, je me pose toutes ces questions pour rien. Le mieux, ce serait d'abord de mettre la situation au clair avec Max. Comment vais-je faire?*

La benjamine Lafontaine remercie sa sœur de ses conseils et se dirige immédiatement vers sa chambre. Elle prend le téléphone et compose le numéro de Maxime. Elle en connaît déjà par cœur les chiffres qui le composent. Trois coups de sonnerie résonnent à son oreille. Enfin, une voix douce décroche.

– Allo?

– Bonjour... Je pourrais parler à Maxime s'il vous plaît? dit timidement Alex.

– Oui, un instant.

– MAAAAAAXXXXXXXXX, crie la voix maintenant devenue forte.

– Allo?

– Euh... salut... C'est... Alexane.

Pourquoi mon cerveau devient mou comme des spaghettis quand j'entends sa voix? Quelle nouille je fais! J'ai de la difficulté à me rappeler mon propre nom!

– Allo! Attends, je vais prendre le téléphone dans ma chambre.

Quelques secondes plus tard, Maxime revient en ligne.

– OK! Voilà. Ça va?

– Très bien. Et toi?

– Oui, super bien.

Moment de silence embarrassant.

– Je t'appelle parce que... je me demandais...

Alexane racle sa gorge pendant qu'elle cherche les bons mots.

– ... quand on pourrait se revoir.

– J'ai une *game* samedi.

Son interlocutrice grimace. C'est exactement ce qu'elle voulait éviter, qu'ils se revoient à l'aréna, entourés de plein de gens.

– Ouais. Je sais.

– Je pourrais peut-être voir avec mes parents si je pourrais arriver avant... et aller te voir. Attends, je vais demander à ma mère.

Alexane joue avec le fil du téléphone qu'elle tortille entre ses doigts, attendant impatiemment le retour de Maxime au bout de la ligne. Son cœur bat fort. Elle tente de passer son stress en rongeant ses ongles.

– Ça marche! La partie est à trois heures,

je pourrais arriver après le dîner. Ma mère a des courses à faire en ville.

– Super! Je te donne mon adresse.

Quand Alexane raccroche, elle sent des pétillements dans son ventre. *C'est comme si plein de petits papillons se rentraient dedans parce qu'ils ne savent plus dans quelle direction aller! Comme Maïka m'a décrit!* Trop énervée à l'idée de voir Maxime, elle reprend le combiné et compose le numéro de sa meilleure amie. Elle doit partager ce moment d'extase avec Rosyane!

# 11. Un plus un

Paquet de nerfs : voilà ce qui décrit bien Alexane à l'heure du dîner. Sa mère remarque qu'elle est plus silencieuse que d'habitude. Elle déguste rapidement son sandwich au comptoir et se dépêche de ramasser la vaisselle.

– Ça va, ma belle fille?

– Oui, oui.

– Tu es étrange.

– Non, non. J'ai un ami qui s'en vient, maman. Il arrivera d'une minute à l'autre.

– Un ami? Quel ami?

– Un nouvel ami.

Sonia lève les sourcils et jette à sa fille

un regard interrogateur. Voyant qu'Alex lui lance un regard suppliant de ne pas poser de questions, elle lui dit simplement :

– D'accord. Vas-tu à l'aréna cet après-midi?

– Oui. Plus tard.

À cet instant précis, on cogne à la porte. Le cœur d'Alexane fait trois tours. Oubliant de respirer, elle se précipite vers l'entrée pour aller répondre. C'est en expirant difficilement qu'elle ouvre la porte et s'emmêle dans ses mots.

– Allu!

– Allu? Allu! rigole Maxime en entrant. Ça va?

– Oui, allez, entre. On va aller au sous-sol.

Subtilement, Sonia — qui se trouve dans la cuisine — tente de voir le jeune garçon inconnu. Elle lance un clin d'œil à sa fille sans dire un mot.

Au sous-sol, c'est le calme plat. Laurie et Maïka sont toutes les deux parties depuis le matin; Alexane sait donc que Maxime et elle auront la paix.

Alex ouvre la télévision, la syntonise à un poste où de la musique joue en boucle, et s'assoit sur le divan. Maxime se joint à elle, juste assez près pour que son bras effleure celui d'Alexane, dont le cœur s'emballe immédiatement.

*Hiiii! Mon cœur s'affole. Il ne sait plus sur quel tempo battre!*

Ils jasent pendant plusieurs minutes de tout et de rien. Puis un grand silence envahit le salon. Alexane fixe le téléviseur, feignant d'être intéressée par la vidéo qui joue et qu'elle a vue mille fois. Elle n'ose pas se détourner, craignant que son regard croise celui de son invité. Tout en douceur, elle sent la main de Maxime glisser dans la sienne. Ses joues s'enflamment. Elle ose enfin regarder le garçon.

Maxime s'approche doucement; son visage n'est plus qu'à quelques centimètres du sien. Le cœur dans la gorge, Alexane ne sait pas quoi faire. *Ce n'est pas ma faute, je n'ai jamais embrassé personne!*

Maxime pose ses lèvres sur les siennes. Le baiser dure quelques secondes à peine. Max recule la tête, gêné.

*Wah! Juste ça? J'aimerais l'embrasser encore!*

– Désolé. J'avais le goût depuis la première fois que je t'ai vue.

*Hé! Mais ne sois pas désolé! Je le voulais tout autant que toi, ce baiser! J'ai le goût de lui dire : « Allez, embrasse-moi à nouveau! »*

**198**

– Non, ne sois pas désolé, répond Alex en évitant son regard.

Il s'avance à nouveau et dépose un autre baiser sur ses lèvres. Alexane sourit.

– Est-ce que ça veut dire que…

C'est autour de Maxime de regarder le plancher.

– J'aimerais beaucoup que tu sois ma blonde.

Cette fois-ci, c'est Alexane qui s'approche pour lui rendre son baiser, et celui-ci dure plus longtemps. De la buée dans le regard, les tourtereaux cessent de s'embrasser et restent collés pendant un bon moment.

– *Shit!* Il faut que je parte, moi! Je vais être en retard! s'exclame Maxime en se levant d'un bond.

Il grimpe les escaliers, suivi d'Alexane. Cette dernière vérifie que sa mère n'est pas à l'étage. Dès que son nouveau copain a enfilé son manteau, elle l'embrasse à nouveau.

– À tantôt. Bon match!

Dès qu'elle arrive dans sa chambre, Alexane attrape son agenda et dessine un gros cercle rouge autour de la date du 26 novembre. *Le plus beau jour de ma vie!*

Une vingtaine de minutes plus tard, Alexane et Rosy sont en route vers l'aréna. Un vent froid les ralentit, elles ont même de la difficulté à s'entendre parler. Mais Rosy insiste quand même pour que sa meilleure amie lui raconte ce qui s'est passé avec Maxime pendant qu'elles sont seulement toutes les deux.

– C'est génial! se réjouit Rosyane en sautillant. Je suis si contente pour toi!

Les deux filles arrivent enfin au chaud et s'assoient dans les estrades. Alexane est beaucoup plus calme que d'habitude, car son attention est fixée sur son nouveau *chum*. Kristina remarque d'ailleurs ce changement de comportement. Elle lance, sans trop réfléchir :

– Il est vraiment *hot* le numéro 34.

– Tu trouves vraiment? interroge Alex.

– Oui! Il est canon.

– Eh bien, c'est de mon *chum* que tu parles!

– Quoi? glousse Kristina. Pourquoi tu ne m'as rien dit?

– Parce que c'est très nouveau, rougit son amie.

– Tu le savais, toi? demande Kristina d'un ton inquisiteur à Rosyane, qui est restée silencieuse depuis le début de la partie.

– Je viens de le savoir.

Kristina s'enfonce dans le banc

inconfortable de l'aréna et boude. Visible-ment, elle est vexée que sa copine ne lui ait rien dit. À moins qu'elle soit davantage vexée par le fait que Maxime ne s'intéresse pas à elle, mais plutôt à Alexane.

– En tout cas, il paraît que c'est un *cruiser!*

Rosy répond à cette insulte à la place de sa meilleure amie.

– Woh! Ça suffit! Tu arrêtes ton cirque un peu? Pour qui tu te prends?

Saisie, Kristina hoche la tête silen-cieusement. Puis elle se lève et se dirige vers la sortie d'un pas rapide. Mal à l'aise, Alexane se prépare à la suivre. Mais Rosy l'accroche par le bras.

– Non! Elle méritait que je la remette à sa place. Arrête de vouloir toujours lui plaire. C'est assez!

Impressionnée par la nouvelle attitude décidée de son amie, Alexane s'assoit, penaude. Elle se sent mal pour Tina, mais une partie d'elle a seulement le goût de célébrer cette nouvelle vie amoureuse. *Pourquoi me jalouse-t-elle? J'aimerais bien qu'elle fasse ce qu'une amie est censée faire : être heureuse pour moi!*

Quelques minutes plus tard, Kristina revient, les yeux rougis.

– Désolée... souffle-t-elle à l'intention d'Alex.

– C'est correct.

Le reste de la partie se passe plutôt bien. Les adolescentes rigolent, se partagent une frite et oublient l'incident. Après que l'équipe locale a remporté la victoire, les filles se dirigent vers le restaurant, bien au chaud, pour attendre les joueurs. Et surtout, Maxime.

C'est un des premiers à sortir de la chambre. D'un pas décidé, il se dirige directement vers sa nouvelle amoureuse.

Il lui prend la main et lui donne un baiser rapide.

– On a gagné! As-tu vu mon but?

– C'est sûr. Bravo!

La discussion tourne autour du match lorsque Félix et Olivier sortent enfin du vestiaire. Par la réaction de ce dernier, Alexane comprend rapidement que Maxime n'a rien mentionné aux gars de l'équipe.

En silence, Félix fixe les mains enlacées du nouveau couple. Il semble chercher quoi dire. Quelques mots sortent enfin de sa bouche :

– Bon, tu t'es décidé à bouger, Max? lance-t-il en donnant une tape sur l'épaule du garçon.

Maxime rit timidement, espérant que son coéquipier n'ajoutera rien. Félix lance un regard sévère à son amie et quitte le groupe pour aller acheter un sandwich à la cantine. Alexane se mord la joue en se tournant vers Rosyane. Elle lève les sourcils, lui faisant comprendre son malaise face à la situation.

Ce soir, Alex devra avoir une bonne discussion avec son ami. Et si Maïka avait raison, finalement?

***

Plus de deux semaines et quatre rendez-vous plus tard, Alexane nage dans le bonheur. Elle pense à Maxime, écrit des poèmes sur lui, ne parle que de lui. Kristina lui reproche d'ailleurs de ne plus être très intéressante.

– Tu pourrais changer de sujet, des fois!

– Jalouse! Tu dis ça parce que tu n'as pas de *chum*.

– Oui, tu as raison. Je n'ai pas de *chum*. Peut-être que c'est pour ça que je n'en peux plus de t'entendre parler d'amour!

Alexane baisse la tête. *Suis-je si pire que ça? Je suis seulement contente de partager mon bonheur... C'est mon premier amoureux, c'est normal, non?*

Rosyane intervient, espérant éviter la bisbille.

— Les filles, j'ai quelque chose à vous raconter. Mais vous devez me promettre de vous tenir la langue.

— Vas-y, dit Alexane, tout ouïe.

— Olivier m'a demandé d'être sa blonde.

— Quoi! s'exclame les deux filles en chœur.

Elles écarquillent les yeux, attendant la suite avec impatience. Rosy prend son temps avant de continuer son histoire.

— Oui... Mais j'ai refusé.

— Hein? s'étonne Alex. Comment ça s'est passé?

– Hier, sur Facebook.

– Sur Facebook! s'écrie Kristina. C'est une *joke* ou quoi? Ce n'est tellement pas romantique!

– Je sais. J'ai encore toute la conversation...

Tina et Alex se jettent un regard stupéfait. Elles ont le goût de poser mille questions, mais se retiennent afin de ne pas brusquer Rosy.

– Mais pourquoi tu ne veux pas?

– Je ne suis pas amoureuse de lui, c'est tout. C'est un ami, et je ne veux pas que ce soit différent entre nous. Et une déclaration d'amour sur Facebook, c'est vraiment poche. Je ne l'ai pas encore croisé ce matin et sérieusement, je suis gênée de le revoir. Qu'est-ce que je vais lui dire? raconte Rosyane d'un seul souffle.

– Aïe! clame Alex. Que c'est compliqué, les gars! Moi, si j'étais à ta place, je ferais comme si de rien n'était, propose-t-elle en hochant la tête.

– Éviter le problème comme tu as fait avec Félix? demande Rosy. Vraiment, c'est la meilleure solution?

– Quel problème as-tu eu avec Félix? interroge Kristina.

– Ah... Quand j'ai commencé à sortir avec Maxime, Félix m'a boudée. Mais c'est correct maintenant, tout est rentré dans l'ordre.

– Ah oui? Qu'est-ce que tu as fait?

– Ben... rien. J'ai attendu que ça passe, répond Alexane. Et ç'a marché, ajoute-t-elle à l'intention de Rosy.

– Mais tu crois vraiment que tout est réglé avec Félix?

*Pourquoi Rosyane insiste-t-elle? Sait-elle quelque chose à propos de Félix que j'ignore?*

– Je suis d'accord avec Alex sur ce

point-là, dit Tina. Si tu ne reviens pas sur le sujet, Olivier comprendra que tu n'es pas fâchée et que tu veux rester son amie quand même. Et le malaise finira par s'estomper.

– Si vous le dites... Je vais vous faire confiance, les filles. Je croise les doigts pour que votre solution soit la bonne.

Lorsque les gars se joignent aux filles à l'heure du dîner, Olivier s'assoit tout au bout de la table. Il semble un peu triste, mais son humeur change rapidement lorsque Félix parle du prochain tournoi de hockey.

Peut-être qu'Alexane et Kristina avaient raison, tout compte fait. Parfois, il vaut mieux laisser le temps arranger les choses.

# 12. Un week-end... familial

Vendredi soir 8 décembre. Habituellement, le vendredi soir, chacun vaque à ses activités de son côté. Mais pas aujourd'hui. Cette fin de semaine, les parents Lafontaine ont décidé que ce serait le bon moment pour se retrouver. Depuis le début de l'année scolaire, avec les engueulades qui ne lâchent pas, les filles qui courent de leur côté, ils se sont dit que ce serait l'occasion idéale de passer du temps ensemble.

Les filles préparent leurs bagages dans leur chambre. Dans une heure, la famille sera en route vers Ottawa. La fin de semaine sera occupée : magasinage pour Noël, repas au restaurant et activités en famille sont prévus. Lorsque Christian Lafontaine en a fait l'annonce la veille, Maïka s'est mise à grogner, comme elle le fait si souvent ces temps-ci.

– *Oh yeah!* a tout de suite répondu Alexane, enflammée à l'idée de passer quelque temps en ville. Ça fera changement de Mont-Lazard. On va pouvoir aller patiner sur le canal? a-t-elle ajouté, énervée.

– Ah, mais, j'étais censée voir Vince! a protesté Maïka. Ça ne me tente pas, moi...

– Tu dois toujours voir Vince... a marmonné Laurie.

– Si tu avais un *chum*, tu comprendrais!

– Tu n'en as que pour lui! Tu sais qu'il y a une vie, autour de toi, à part Vincent?

– Jalouse!

– Vraiment pas!

– Les filles, arrêtez! Vous n'avez pas

le choix de venir! a tranché Christian, ne voulant rien entendre.

Alexane discute au téléphone avec Rosyane tout en finissant de préparer ses affaires. Deux points importants sont à l'ordre du jour : Olivier et Félix. Point numéro un : Olivier agit bizarrement avec Rosy.

– Je crois qu'il essaie de me rendre jalouse avec d'autres filles! se plaint Rosyane.

– Ah oui? Et ça marche?

– Non! Mais je trouve ça ridicule. J'ai peur que notre amitié soit en péril...

– Tant que ça?

– Ouf! Je ne sais plus...

C'est alors que Rosyane aborde le point numéro deux : Félix.

– J'ai l'impression que je vis la même chose avec Olivier que toi avec Félix.

– Hein? De quoi tu parles? Félix ne m'a pas fait de déclaration d'amour. Et on est amis depuis des lunes!

– Ouais... justement... Olivier m'a dit que Félix était amoureux de toi depuis des lunes...

J'aurais le goût de lui crier qu'elle dit n'importe quoi, qu'Olivier est un menteur. Félix est mon ami et je ne veux surtout pas que cette amitié soit détruite! Il ne peut tout simplement pas être amoureux de moi!

Pendant que le cerveau d'Alexane tourne à la quatrième vitesse, Rosy intervient :

– Alex? Tu es toujours là?

– Oui, oui. Je dois y aller. Je te rappelle à mon retour d'Ottawa.

– OK! Bon week-end!

Alexane s'installe devant l'ordinateur du salon et se dirige droit vers sa boîte de courriels.

*Salut Félix!*

*Ça va?*

*Moi, je suis sur mon départ pour Ottawa. Eh oui! Petit week-end familial imposé par mes chers parents... Ça devrait être* hot *si mes sœurs arrêtent de s'engueuler!*

*Bon! Je ne t'écris pas pour te parler de ça. En fait, je ne sais pas trop comment aborder le sujet...*

*C'est que j'ai entendu dire que... Comment dire? Que ma relation avec Maxime te dérangeait. Je veux mettre quelque chose au clair : tu es mon meilleur ami et tu le resteras toujours. Je ne veux surtout pas que tu croies que parce que j'ai un* chum, *ça va changer les choses entre nous. Loin de là!*

*C'est tout ce que j'avais à te raconter. On se voit lundi!*

*Alexou xx*

*Voilà. Un petit courriel qui devrait au moins mettre la situation au clair. Du moins, je l'espère!*

À dix-sept heures, toute la famille Lafontaine est assise dans la voiture. Les trois filles sont entassées à l'arrière – Alexane a perdu et a dû s'asseoir au milieu. Un silence inhabituel règne. Maïka a ses écouteurs sur les oreilles, Laurie, pensive, observe les flocons qui tombent et Alex gigote sur la banquette, impatiente de sortir de l'auto.

– On arrive bientôt?

– Voyons, Alex! On vient de partir.

– Oui, mais j'ai faim, moi.

– Tu as toujours faim! réplique Laurie.

– Ce n'est pas ma faute. C'est mon ventre qui crie! Je ne peux pas contrôler ça!

– Alex, on sera là dans moins de deux heures. Patiente un peu! dit Sonia en lui tendant une barre tendre. Tiens, mange ça en attendant.

Alexane prend son iPod elle aussi et joue avec, espérant faire passer le temps. Toute cette histoire avec Félix hante son esprit. *J'ai peur de perdre mon ami. Je ne veux pas qu'il soit amoureux de moi! C'est Maxime que j'aime, sans aucun doute! Est-ce que je peux toujours me confier à Félix? Je ne le sais plus... J'espère qu'il va répondre à mon courriel.*

Plus de deux heures ont passé quand elle voit enfin les premiers immeubles de la ville apparaître. La neige a cessé, et les réverbères se reflètent sur les quelques centimètres tombés au sol.

L'hôtel où la famille restera est situé au centre-ville. Les parents ont loué une petite suite avec cuisinette, comme chaque fois qu'ils voyagent. Ils s'assurent ainsi que tout le monde aura une bonne place pour dormir. Comme Maïka aime bien dormir seule, Alexane et Laurie partagent le grand lit et la cadette utilise le sofa-lit. La chambre est plutôt spacieuse. Les filles déposent leurs sacs dans la penderie pendant que les parents cherchent les restaurants autour qui pourraient s'avérer intéressants.

– Des pâtes, ça vous dit?

– Oui! répondent-elles en chœur.

– Parfait. Il y a un petit resto italien pas très loin.

– Il y a une piscine dans l'hôtel? demande Alexane, qui a déjà des fourmis dans les jambes.

– Oui, répond Sonia. On ira après le souper. Allez, remettez vos bottes, les filles. On repart. Le resto est à deux coins de rue d'ici.

Les adolescentes marchent côte à côte sur le trottoir, en rigolant et en se lançant de petites boules de neige. Les parents ouvrent la marche quelques mètres devant. Il semble que ce début de week-end familial produise déjà les résultats escomptés.

**\*\*\***

Une journée de magasinage, quoi de mieux pour rapprocher des filles? C'est Laurie qui a lancé l'idée :

– Et si on faisait une soirée chic à Noël cette année?

Maïka a grogné un peu, même si elle aimait bien cette suggestion, pour enquiquiner sa sœur aînée. Elle ne rate aucune occasion de manifester sa mauvaise humeur, au grand dam de ses parents. La famille se dirige donc au centre commercial Bayshore. Chacun espère trouver le vêtement qui saura impressionner.

Alors qu'elles viennent à peine d'entrer dans le centre commercial, Alexane entraîne Laurie vers une boutique.

– Regarde, elle est parfaite pour toi!

Dans la vitrine, une magnifique robe longue gris argenté habille un mannequin de plastique.

– Wow! lâche Laurie, bouche bée. C'est vrai qu'elle est fantastique.

Les deux filles entrent dans le magasin, suivies du reste de la famille. Laurie attrape une des robes à sa taille et met le cap sur la salle d'essayage. La boutique est quasiment vide en ce samedi matin. Quelques minutes plus tard, la plus vieille des sœurs Lafontaine sort de la cabine. La robe lui va à merveille.

– Tu as l'air d'une princesse! clame Alexane.

– Ma fille, tu es très belle, la complimente son père.

Laurie tournoie sur elle-même, s'admirant sous tous les angles.

– Elle est sûrement hors de prix! lâche-t-elle finalement.

Sonia tire sur l'étiquette pour la lire.

– Si on t'aide à la payer, il n'y aura pas de problème, ma belle.

Les yeux pétillants, Laurie se tourne vers sa mère. Elle la prend dans ses bras.

– Merci, maman!

C'est avec un énorme sac dans les mains que Laurie sort du magasin, toute souriante.

Alors que Sonia entre dans une boutique, Christian attire ses filles vers lui.

– Les filles, venez ici.

Les sœurs Lafontaine s'approchent de lui, curieuses de savoir pourquoi leur père les interpelle de façon aussi étrange.

– Ce soir, j'aimerais beaucoup emmener votre mère au resto... Vous savez, les derniers mois ont été difficiles...

Les sœurs approuvent pendant qu'il s'assoit pour continuer à parler. Alexane prend place à côté de son père.

– C'est une surprise. Vous pourriez commander de la nourriture à la chambre et profiter de la piscine.

– Ne t'inquiète pas, papa, je m'occuperai de tout. Tu peux me faire confiance, se dépêche de répondre Laurie, pour montrer son côté responsable.

*Ah! Laurie! Si tu savais comment nous aussi, nous pouvons être responsables... Ce n'est pas parce que tu as seize ans que tu es mieux que nous!*

Mais Alexane garde cette réflexion pour elle, sachant très bien que le moment est mal choisi pour entamer une dispute avec l'aînée. Les trois sœurs acquiescent en promettant d'être sages comme des images en attendant le retour du resto de leurs parents.

– Est-ce qu'on pourra louer un film à la télé?

– Oui, sans problème.

Quelques heures plus tard, Sonia enfile une jolie robe pour sa sortie au restaurant. Alexane, Maïka et Laurie lui donnent un coup de main pour se préparer. Lorsqu'elle sort de la salle de bain, elle a des airs de *star* de cinéma. Après des recommandations interminables, les parents quittent enfin la chambre.

Alexane met la main dans son sac et attrape son iPod. Dans sa boîte de courriels, un message de Félix l'attend.

*Salut Alex!*

*J'espère que ta fin de semaine à Ottawa n'est pas trop pénible!*

*Tu n'as pas à t'inquiéter, on va rester amis même si Maxime est ton* chum. *:-)*

*Félix*

C'est tout? Sans plus d'explication? J'ai du mal à comprendre. Mais je m'attendais à quoi? Qu'il me fasse une déclaration d'amour? Que je peux être ri-di-cu-le des fois!

– Quand est-ce qu'on mange? demande Alexane.

Maïka lui lance un sac de croustilles nature, en ne lâchant pas son livre des yeux.

– Tiens, mange ça.

– Merci. On fait quoi? Est-ce qu'on va prendre une marche? Ou à la piscine? Il faut que je bouge moi!

– As-tu des vers? soupire Maïka.

– Non! Mais je ne veux pas rester enfermée ici.

Laurie intervient :

– Il fait un peu froid et en plus, la noirceur est déjà tombée. Je ne suis pas sûre que ce soit une bonne idée d'aller dehors.

Je vote pour la piscine. Profitons de l'hôtel!

– OK! Tu viens avec nous, sis?

– Je suis rendue à un super bon passage dans mon livre... répond Maïka.

– Lâche tes histoires de vampires et viens à la piscine avec nous, supplie Alexane en lui faisant les yeux doux, à genoux devant elle. *Please!*

– D'accord. C'est bon, tu gagnes! accepte Maïka à contrecœur.

– Génial!

Cette soirée entre sœurs vaut son pesant d'or. Les filles en profitent pour partager leurs histoires amoureuses.

– Depuis que j'ai rencontré Maxime, on dirait qu'il prend toute la place dans ma tête. Je n'arrive plus à penser à autre chose, confie la plus jeune.

– C'est normal. On vit tous ça, soutient Laurie.

– Ah oui? Même toi? interroge Maïka. Je croyais que tu n'avais jamais eu de *chum!*

– La preuve que tu me connais mal!

– Raconte!

– L'an dernier, il y avait ce gars de cinquième – qui est maintenant parti au cégep – avec qui je m'entendais vraiment bien. En plus, il était super mignon.

– On ne l'a jamais vu…

– Ce n'est pas parce que je ne l'ai jamais amené à la maison qu'il n'existe pas!

– C'est sûr.

– Mais je ne t'ai pas vue avec à l'école non plus! déclare Maïka.

– Disons que c'était discret. Je me suis vite rendu compte qu'il n'était pas si gentil que ça. Mais je voulais tellement être en couple, moi aussi. Toutes mes amies

**226**

avaient un *chum*. Nous sommes sortis ensemble trois mois.

– Alors tu es sortie avec un gars que tu n'aimais pas? questionne Alex.

– Moi, je l'aimais, mais je crois que ce n'était pas réciproque. C'est pourquoi j'ai dû le laisser, dit-elle, les larmes aux yeux.

Après cette confidence de Laurie, même Maïka, qui s'abstient habituellement de parler de Vincent, dévoile quelques secrets à ses sœurs. Elle leur dit comment elle doute de leur couple depuis qu'ils ont repris. Car même si elle semble hyper amoureuse, elle trouve que cette relation n'est pas ce qu'elle était la première fois. Elle raconte également ses petits instants de jalousie quand une autre fille rôde autour de lui. Cet échange de confidences rappelle à Maïka à quel point Laurie et Alexane peuvent être des complices.

Alexane écoute ses sœurs raconter comment sont les gars autour d'elles. La plus jeune prend des notes mentalement. *C'est tellement compliqué, les histoires d'amour! C'est loin d'être comme dans les films!*

Lorsque les parents reviennent du restaurant, tard en soirée, les filles se sont endormies devant la télévision. Les trois sont couchées dans le même lit, bien cordées.

La fin de semaine passe à toute allure. C'est déjà dimanche et les Lafontaine doivent retourner à la réalité. La route du retour est laborieuse, la neige tombant sans arrêt. Les routes deviennent de plus en plus glissantes. Après plusieurs heures, la voiture se stationne enfin dans la cour. Les membres de la famille sortent en s'étirant. Après plusieurs allers-retours entre le coffre de l'automobile et la maison, les bagages et les achats sont enfin tous entassés dans le vestibule.

À peine les Lafontaine ont-ils enlevé leurs bottes que le téléphone sonne. Maïka accourt pour répondre.

– Ça doit être Vince.

– C'est toujours Vince, lance Laurie en rigolant.

– Fais ça vite, Maïka, je veux appeler Maxime!

La conversation entre Maïka et Vincent s'éternise. Ils parlent depuis trente minutes. Elle monopolise le téléphone beaucoup trop longtemps.

D'un pas décidé, Alexane se présente devant la porte de sa sœur. Elle cogne, entre dans sa chambre sans même laisser le temps à Maïka de répondre. Assise par terre sur son tapis, cette dernière lui tourne le dos.

– Maïka, je veux le téléphone. C'est mon tour!

– Dégage! s'exclame l'interpellée sans se retourner.

– Heille! Tu n'es pas la seule qui veut parler à son *chum!*

Maïka se retourne, les yeux rougis par les larmes.

– Va-t'en!

Alexane s'exécute immédiatement et referme la porte derrière elle. Dans la cuisine, sa mère et Laurie préparent le souper en discutant.

– Je peux vous aider? propose Alex.

– Bien sûr! Tiens, dit sa mère en lui tendant une cuillère en bois. Brasse ça.

Quelques minutes passent.

– Lau, va dire à ta sœur que le repas est prêt.

L'aînée descend au sous-sol rapidement, suivie de près par Alexane. *J'ai l'impression que Maïka ne va pas bien... Elle pleurait tout à l'heure, ce qui n'est pas dans ses habitudes.*

Maïka est toujours assise par terre, dos à la porte. Lorsque Laurie entre, elle se retourne le visage en pleurs.

– Qu'est-ce qu'il y a, sœurette? demande aussitôt Laurie en s'assoyant par terre.

Alexane prend place à la gauche de Maïka. Cette dernière parle enfin, entre deux sanglots :

– Vince et moi, c'est fini.

## À suivre...
## Dans la peau de Maïka!

# Table des matières

# L'auteure

Native du Témiscamingue, Amy Lachapelle a poursuivi ses études à l'Université d'Ottawa en communication. Elle travaille dans le domaine de l'édition depuis 2006 au sein des Éditions Z'ailées.

Son premier roman à voir le jour est *Le monde de Khelia : Le grand départ* en 2008. Elle a alors la piqûre pour l'écriture et *Le monde de Khelia* devient une série à succès de huit tomes. Elle écrit aussi des romans d'épouvante pour les 8 à 12 ans dans la collection Zone Frousse et coécrit avec Richard Petit dans la collection Ping-Pong, des romans style « texto ». C'est en 2012 que sort son premier roman pour les 13 ans et plus, *Une fois de trop*, qui aborde le sujet de l'alcool au volant.

En 2010, Amy Lachapelle a été récipiendaire du Prix du public TVA remis par le Conseil de la Culture de l'Abitibi-Témiscamingue.

# Remerciements

Merci Sylvie d'avoir donné vie à Alexane, Maïka et Laurie. Les petites sœurs Lafontaine sont très mignonnes grâce à toi!

Merci Valérie pour tes idées lancées comme ça...!

Merci Jonathan pour tes commentaires qui m'ont permis de travailler en profondeur ce manuscrit.

Merci Sylvie L., œil de lynx!

Merci Karen et Cynthia, pour toute cette inspiration! Merci de vous prendre parfois pour ma mère : même si ça m'enquiquine, ça fait de moi la femme que je suis aujourd'hui.

Achevé d'imprimer en septembre 2013
Impression Design Grafik
Ville-Marie (Québec)
819-622-1313